DERRUBANDO GOLIAS

DERRUBANDO GOLIAS

DESCUBRA COMO SUPERAR OS MAIORES OBSTÁCULOS DE SUA VIDA

Tradução de
Valéria Lamim Delgado Fernandes

THOMAS NELSON
BRASIL®

Rio de Janeiro, 2007

Título original
Facing your giants – A David and Golias story for every people

Supervisão editorial Nataniel dos Santos Gomes

Assistente editorial Clarisse de Athayde Costa Cintra

Tradução Valéria Lamim Delgado Fernandes

Tradução do guia de estudos Pedro José Maria Bianco

Capa Valter Botosso Jr.

Copidesque Silvia Rebello

Revisão Margarida Seltmann

Projeto gráfico e diagramação Julio Fado

CIP-BRASIL. CATALOGAÇÃO-NA-FONTE
SINDICATO NACIONAL DOS EDITORES DE LIVROS, RJ

L965d

Lucado, Max, 1955-
Derrubando Golias: descubra como superar os maiores obstáculos de sua vida / Max Lucado; tradução Valéria Lamim Delgado Fernandes. - Rio de Janeiro: Thomas Nelson, 2007
Tradução de: Facing your giants: a David and Golias story for every people
ISBN 9788560303021

1. David, Rei de Israel. 2. Golias (Gigante bíblico). 3. Espiritualidade.
I. Título.

06-4397.

CDD 222.4
CDU 222.4

Rua Nova Jerusalém, 345 – Bonsucesso
Rio de Janeiro – RJ – CEP 21402-325
Tel.: (21) 3882-8200 Fax: (21) 3882-8212 / 3882-8313
www.thomasnelson.com.br

É com prazer que Denalyn
e eu dedicamos este livro
a Rod e Tina Chisholm –
servos fiéis, de confiança e alegres.
Agradecemos a Deus
por duas décadas de amizade.

Sumário

Agradecimentos

A lista de pessoas que ajudaram a fazer deste livro uma realidade é longa. Cada uma merece ser aplaudida em pé e aposentar-se cedo.

As editoras Liz Heaney e Karen Hill. Em se tratando de estimular autores teimosos, vocês escreveram o livro.

Steve e Cheryl Green. Se o país tivesse administradores como vocês, todos nós dormiríamos melhor. Obrigado por seus mil e um atos de préstimo.

David Moberg e a equipe da W. O mais alto padrão em publicação.

Susan Ligon. Sua dedicação aos detalhes só é superada por sua dedicação a Cristo. Sou grato.

Sam Moore, Mike Hyatt e a família Thomas Nelson. Se existe uma equipe melhor, eu nunca vi.

Ministros, equipe e presbíteros da Oak Hills. Que vocês continuem a ser um lar para todo coração.

A família UpWords de Becky, Margaret e Tina. Que talentos vocês têm e que talentos vocês são!

Eugene Peterson. Cada leitura de seus livros me toca. *Transpondo Muralhas* transformou minha vida. Nos trechos em que minhas palavras soarem muito como as suas, me perdoe. O mérito é seu.

Carol Bartley. A Scotland Yard (polícia federal britânica) deveria ter esta detetive. Tenho uma grande admiração por suas habilidades editoriais.

David Treat. Suas orações levaram sobre as asas estas palavras.

Minhas três filhas, Jenna, Andrea e Sara. A cada dia, mais bonitas. A cada dia, mais tementes a Deus.

E Denalyn. Se existisse uma lei que limitasse o amor de um marido por sua esposa, você teria de visitar-me na prisão. Depois de vinte e cinco anos, ainda sou fascinado por você.

Capítulo 1

Derrubando Golias

O menino esbelto e imberbe ajoelha-se à beira do riacho. A lama umedece seus joelhos. A água borbulhante refresca sua mão. Se quisesse, ele poderia examinar seus belos traços na água. Seu cabelo tem a cor do cobre. Ele tem a pele bronzeada, cor-de-sangue, e os olhos que roubam o fôlego das moças hebréias. Entretanto, ele não procura pelo seu reflexo, mas por seixos. Pedras. Pedras lisas. O tipo de pedra que fica bem acomodado no alforje de um pastor; que se ajeita bem na funda de couro de um pastor. Pedras achatadas que pesam na palma da mão e são, com a força de um cometa, lançadas contra a cabeça de um leão, de um urso ou, neste caso, de um gigante.

Da encosta da montanha, Golias olha lá para baixo. Ele só não ri porque não acredita no que vê. Ele e seu bando de filisteus transformaram metade do vale em uma floresta de lanças; uma gangue rosnenta e sedenta de sangue formada por rufiões ostentando trapos, mau cheiro e tatuagens feitas com arame farpado. Golias está acima de todos eles: com quase 3 metros de altura, sem sandálias, usando cerca de 55 quilos de armadura e rosnando como se fosse o principal competidor na noite do campeonato da Federação Mundial de Luta Livre. Ele usa gola tamanho 48, um elmo GG e um cinto com cerca de 1,40 metro de comprimento. Seus bíceps sobressaem, os músculos das coxas formam ondas e os elogios que faz a si mesmo ecoam pelo desfiladeiro. "Eu desafio hoje as tropas de Israel! Mandem-me um homem para lutar sozinho comigo" (1 Samuel 17:10). *Quem lutará mano a mano comigo? Que venha o melhor atirador que vocês têm.*

Nenhum hebreu se apresentou. Até hoje. Até Davi.

Davi só apareceu nesta manhã. Ele deixou de apascentar o rebanho para levar pão e queijo para seus irmãos na frente de batalha. É ali que Davi ouve Golias desafiando Deus, é esse o momento em que Davi toma a sua decisão. "Em seguida pegou seu cajado, escolheu no riacho cinco pedras lisas, colocou-as na sua sacola de pastor, em uma bolsa que tinha, e, com sua atiradeira na mão, aproximou-se do filisteu" (17:40).[1]

Golias zomba do rapaz e o apelida de Palito. "Por acaso sou um cão, para que você venha contra mim com pedaços de pau?" (17:43). Davi era magricelo, esquelético. Golias era corpulento, bruto. O palito de dente contra o tornado. A motoca indo de encontro ao caminhão de dezoito rodas. O *poodle* enfrentando o *rottweiler*. Na sua opinião, quais são as chances de Davi vencer seu gigante?

Talvez ele tenha mais chances do que as que você se dá para vencer os seus próprios gigantes.

O seu Golias não carrega uma espada ou um escudo; ele ostenta as espadas do desemprego, do abandono, do abuso sexual ou da depressão. O seu gigante não desfila para cima e para baixo pelas montanhas de Elá; ele se ergue no seu escritório, no seu quarto, na sua sala de aula. Ele traz contas que você não pode pagar, notas que você não pode tirar, pessoas a quem você não pode agradar, o uísque que você não consegue resistir, a pornografia que você não consegue rejeitar, uma carreira da qual você não consegue escapar, um passado em que você não pode mexer e um futuro que você não consegue encarar.

Você conhece muito bem o rugido de Golias.

Davi enfrentou um que buzinava seus desafios de dia e de noite. "Durante quarenta dias o filisteu aproximou-se, de manhã e de tarde, e tomou posição" (17:16). O seu faz a mesma coisa.

O primeiro pensamento da manhã, a última preocupação da noite — o seu Golias domina o seu dia e se infiltra na sua alegria.

Há quanto tempo ele o persegue? Os familiares de Golias eram inimigos antigos dos israelitas. Josué os expulsou da terra prometida trezentos anos antes. Ele destruiu todos, menos os que moravam em três cidades: Gaza, Gate e Asdode. Gate gerava gigantes assim como as sequóias no parque nacional de Yosemite. Adivinhe onde Golias foi criado. Você vê a letra *G* em sua jaqueta? Colégio de Gate. Seus antepassados eram para os hebreus o que os piratas eram para a marinha de Sua Majestade.

Os soldados de Saul viram Golias e murmuraram: "De novo, não. Meu pai lutou contra o pai dele. Meu avô lutou contra o avô dele".

Você já resmungou coisas semelhantes: "Estou ficando viciado em trabalho como meu pai."; "O divórcio atravessa nossa árvore genealógica como um perene galho de carvalho."; "Minha mãe também não consegue manter uma amizade. Será que isso nunca vai parar?"

Golias: o valentão de longa data do vale, mais duro do que carne de segunda, rosna mais do que dois *dobermanns*. Ele está à sua espera pela manhã e vem atormentá-lo à noite. Ele perseguiu seus antepassados e agora surge diante de você; impede a passagem do sol e o deixa na sombra da dúvida. "Ao ouvirem as palavras do filisteu, Saul e todos os israelitas ficaram atônitos e apavorados" (17:11).

Mas o que estou dizendo para você? Você conhece Golias. Você reconhece o andar dele e recua diante de suas palavras.

Você já viu o seu Godzilla. A pergunta é:
ele é tudo o que você vê?

Você conhece a voz dele — mas é ela tudo o que você ouve? Davi viu e ouviu mais. Leia as primeiras palavras que ele pronunciou, não só na batalha, mas na Bíblia: "Davi perguntou aos soldados que estavam ao seu lado: 'O que receberá o homem que matar esse filisteu e salvar a honra de Israel? Quem é esse filisteu incircunciso para desafiar os exércitos do Deus vivo?'" (17:26).

Davi aparece falando sobre Deus. Os soldados nada mencionaram sobre ele, os irmãos nunca falaram seu nome, mas Davi entra em cena e levanta a questão do Deus vivo. Ele faz o mesmo com o rei Saul: não joga conversa fora falando sobre a batalha ou fazendo perguntas sobre as chances de vitória. Ele traz somente um recado de Deus: "O SENHOR que me livrou das garras do leão e das garras do urso me livrará das mãos desse filisteu" (17:37).

Ele continua o assunto com Golias. Em resposta ao escárnio do gigante, o jovem pastor diz:

> Você vem contra mim com espada, lança e dardos, mas eu vou contra você em nome do SENHOR dos Exércitos, o Deus dos exércitos de Israel, a quem você desafiou. Hoje mesmo o SENHOR o entregará nas minhas mãos, eu o matarei e cortarei a sua cabeça. Hoje mesmo darei os cadáveres do exército filisteu às aves do céu e aos animais selvagens, e toda a terra saberá que há Deus em Israel. Todos os que estão aqui saberão que não é por espada ou por lança que o SENHOR concede vitória; pois a batalha é do SENHOR, e ele entregará todos vocês em nossas mãos (17:45-47).

Ninguém mais fala sobre Deus. Davi não fala sobre outra coisa senão em Deus.

Um enredo secundário surge na história. Mais do que "Davi *versus* Golias", esse enredo passa a ser "o foco em Deus *versus* o foco no gigante".

Davi vê o que os outros não vêem e se recusa a ver o que os outros vêem. Todos os olhos, exceto os de Davi, voltam-se para o brutal grandalhão que irradia ódio. Todas as bússolas, menos a de Davi, estão fixadas na estrela polar do filisteu. Todos os jornais, menos o de Davi, descrevem, dia após dia, a terra daquele homem pré-histórico. As pessoas sabem de seus insultos, de suas exigências, de seu tamanho e de seu andar altivo. Todos eram especializados em Golias.

Davi é especialista em Deus. Como você pode imaginar, ele vê o gigante; mas ele vê Deus com nitidez ainda maior. Observe com atenção o grito de guerra de Davi: "Você vem contra mim com espada, lança e dardos, mas eu vou contra você em nome do SENHOR dos Exércitos, o Deus dos exércitos de Israel" (17:45).

Observe o substantivo no plural — *exércitos* de Israel. Exércitos? O observador comum vê apenas um exército de Israel. Mas Davi não. Ele vê os Aliados no Dia D: pelotões de anjos e infantarias de santos, as armas do vento e as forças da terra. Deus poderia fazer bolinhas do inimigo como fez com o granizo para Moisés, fazer muralhas ruírem como fez para Josué, trovejar com estrondo como fez para Samuel.[2]

Davi vê os exércitos de Deus. E por causa disso "saiu correndo em direção ao exército para enfrentar o filisteu" (17.48).[3]

Os irmãos de Davi cobrem os olhos, com medo e vergonha. Saul suspira enquanto o jovem hebreu corre para a morte certa. Golias joga a cabeça para trás numa gargalhada, o suficiente para mover seu elmo de lugar e expor um pedacinho da testa. Davi percebe o alvo e aproveita o momento. O som da funda esticando é a única coisa que se ouve no vale. Estiiiiiiica. Estiiiiiiica. Estiiiiiiica. A pedra segue seu vôo pelo ar e em seguida torpedeia a cabeça do gigante; os olhos de Golias entortam e as pernas se dobram. Ele cai ao chão e morre. Davi corre e desembainha a espada de Golias, fere o filisteu e corta-lhe a cabeça.

Você talvez diga que Davi soube arrancar *a cabeça* de seu gigante.

Quando foi a última vez em que você fez a mesma coisa? Quanto tempo faz desde o dia em que você enfrentou seu desafio? Temos a tendência de recuar, de nos metermos debaixo da mesa do trabalho ou de nos arrastarmos para uma boate em busca de distração ou para uma cama à procura do amor proibido. Por um instante, um dia ou um ano, sentimo-nos seguros, isolados, anestesiados, mas o trabalho acaba, a bebida desaparece ou o amante nos deixa — e ouvimos o Golias de novo: estrondoso, bombástico.

Experimente uma tática diferente.

Faça seu gigante correr ao se deparar
com uma alma cheia de Deus.

Faça Deus aumentar e o Golias diminuir. Receba alguma solução irrevogável do céu. *Gigante do divórcio, você não vai entrar na minha casa! Gigante da depressão? Você pode levar uma vida inteira, mas não me vencerá. Gigante do álcool, do fanatismo, do abuso infantil, da insegurança... você vai cair por terra.* Quanto tempo faz desde que você pegou o seu estilingue e acertou o seu gigante?

Você disse que faz muito tempo? Então Davi é o exemplo que você tem a seguir. Deus o chamou de "homem segundo o meu coração" (Atos 13:22). Ele não deu esse título a nenhum outro. Nem a Abraão ou Moisés ou José. Ele chamou Paulo de apóstolo, João de seu amado, mas nenhum deles foi identificado como um homem segundo o coração de Deus.

Alguém talvez leia a história de Davi e se pergunte o que Deus viu nele. O camarada caía toda vez que se levantava, tropeçava toda vez que vencia. Ele perturbou Golias com o olhar, mas cobiçou Bate-Seba com os olhos; desafiou os escarnecedores de Deus no vale, mas se juntou a eles no deserto. Em um dia, era um escoteiro condecorado e, no outro, fazia amizade com mafiosos. Pôde liderar exércitos, mas não pôde administrar uma família. Davi se irritava. Davi lamentava. Tinha sede de sangue. Tinha fome de Deus. Tinha oito esposas. Tinha um Deus.

Um homem segundo o coração de Deus? O fato de Deus vê-lo do modo como ele é enche-nos de esperança. A vida de Davi tem pouca coisa a oferecer ao santo imaculado. Os de alma reta acham a história de Davi decepcionante. Para o restante de nós, ela é reconfortante. Estamos na mesma montanha-russa. Alternamos entre bons mergulhos e barrigadas contra a água, suflês e torradas queimadas.

Nos bons momentos de Davi, ninguém foi melhor. Em seus maus momentos, alguém poderia ser pior? O coração que Deus amava era um coração cheio de altos e baixos.

Precisamos da história de Davi. Os gigantes andam à espreita em nossa vizinhança. Rejeição. Fracasso. Vingança. Remorso. Nossos conflitos parecem o programa de um pugilista profissional:

- "No evento principal, temos o Cara Decente contra o *Clube dos Cafajestes*."
- "Pesando 50 quilos, Elizabeth, A Garota do Caixa, lutará com unhas e dentes contra os Idiotas que Pegarem e Partirem seu Coração."
- "Deste lado, o frágil casamento de Jason e Patrícia. Do lado oposto, o rival que vem do estado da confusão, o destruidor de lares chamado Desconfiança."

Gigantes. Temos de encará-los. Contudo, não precisamos enfrentá-los sozinhos. Concentre-se primeiro, e, na maior parte do tempo, em Deus. As vezes em que Davi fez isso, os gigantes caíram. Os dias em que não fez, foi Davi que caiu.

Teste essa teoria com a Bíblia aberta. Leia 1 Samuel 17 e faça uma lista com as observações que Davi fez com relação a Golias.

Achei apenas duas: uma afirmação para Saul sobre Golias (v. 36) e uma diante de Golias — "Quem é esse filisteu incircunciso para desafiar os exércitos do Deus vivo?" (v. 26).

É isso. Dois comentários relacionados a Golias (e, falando nisso, comentários insignificantes) e nenhuma pergunta. Nenhuma pergunta sobre a habilidade, a idade, a posição social ou o QI de Golias.

Gigantes. Temos de encará-los. Contudo,
não precisamos enfrentá-los sozinhos.

Davi não pergunta nada sobre o peso da lança, o peso do escudo ou o significado da caveira com as duas tíbias cruzadas que estavam tatuadas nos bíceps do gigante. Davi não pensa no diplódoco na montanha. Ele é um zero à esquerda.

Contudo, ele pensa muito em Deus. Leia as palavras de Davi novamente, desta vez sublinhando as referências que ele faz ao Senhor.

"Os exércitos do *Deus vivo*" (v. 26).

"Os exércitos do *Deus vivo*" (v. 36).

"O SENHOR dos Exércitos, o Deus dos exércitos de Israel" (v. 45).

"O SENHOR o entregará nas minhas mãos [...] e toda a terra saberá que *há Deus* em Israel" (v. 46).

Você está quatro vezes mais propenso a descrever a força
de Deus do que a descrever as exigências de seu dia?

"Não é por espada ou por lança que *o SENHOR* concede vitória; pois *a batalha é do SENHOR*, e *ele entregará todos vocês em nossas mãos*" (v. 47).[4]

Contei nove referências. São nove pensamentos acerca de Deus comparados a dois pensamentos acerca de Golias. De que forma essa proporção se compara com a sua? Você pensa quatro vezes mais na graça de Deus do que na sua culpa? Sua lista de bênçãos é quatro vezes mais longa do que sua lista de reclamações? Seu arquivo mental de esperança é quatro vezes mais denso que seu arquivo mental de medo? Você está quatro vezes mais propenso a descrever a força de Deus do que a descrever as exigências de seu dia?

Não? Então Davi é o homem certo para você.

Alguns notam a ausência de milagres na história dele. O Mar Vermelho não se abre, não há carruagens de fogo nem Lázaros mortos que saem andando. Nenhum milagre.

Mas há um. Davi é um milagre. Uma maravilha ambulante de Deus que, embora tosca, ilumina em cores vívidas esta verdade:

Concentre-se nos gigantes — você tropeçará.
Concentre-se em Deus — seus gigantes cairão.

Erga os olhos, matador de gigantes. O Deus que fez de Davi um milagre está pronto para fazer o mesmo com você.

Capítulo 2

Telefones mudos

Alguns eventos do ano em que eu estava na sexta série não me são nítidos. Não me lembro das minhas notas ou dos programas familiares nos feriados. Não posso lhe dizer o nome da garota de cabelos castanhos de quem gostei ou do diretor da escola. Mas aquele anoitecer de primavera em 1967... Ah! Dele me recordo com clareza.

Estou sentado no quarto de meus pais. Os temas debatidos durante o jantar ecoam pelo corredor. Temos convidados, mas pedi para sair da mesa. Mamãe fez torta, mas abri mão da sobremesa. Nada estava sociável. Não tinha apetite. Quem tem tempo para conversa fiada ou torta em um momento como esse?

Preciso concentrar-me no telefone.

Eu esperava o telefonema antes do jantar. Ele não veio. Eu ouviria o telefone tocar durante o jantar. Ele não tocou. Agora estou fitando os olhos no telefone como um cachorro com os olhos fixos em um osso, esperando que o técnico da *Little League* me diga que estou em seu time de beisebol.

Estou sentado na cama; minha luva está ao meu lado. Posso ouvir meus amigos brincando lá fora na rua. Não me importo. Tudo o que importa é o telefone. Quero que ele toque.

Ele não toca.

Os convidados vão embora. Ajudo a lavar a louça e termino minha lição de casa. Papai me elogia. Mamãe diz coisas bacanas. Já está quase na hora de ir para a cama. E o telefone nunca toca. Fica mudo. Um silêncio doloroso.

No grande esquema das coisas, ficar de fora de um time de beisebol pouco importa. Mas garotos de 12 anos não podem ver o grande esquema das coisas e, para eles, fazer parte de um time é muito importante, e minha mente só pensava no que eu diria quando os coleguinhas da escola perguntassem que time havia me escolhido.

Você conhece a dor de um telefonema
que não vem. Todos conhecemos.

Você conhece essa sensação. O telefone também não tocou para você. Em um esquema muito maior das coisas, ele não tocou. Quando você se candidatou para o emprego ou para o clube, tentou compensar ou obter ajuda... o telefonema nunca veio. Você conhece a dor de um telefonema que não vem. Todos conhecemos.

Forjamos frases no momento. Ele acabou "pagando o pato". Ela foi deixada "no altar". Eles foram "ignorados". Ou o meu favorito: "Ele estava cuidando das ovelhas". Este era o caso de Davi.

A história de Davi começa não no campo de batalha com Golias, mas na encosta das antigas montanhas de Israel como um sacerdote de barba cor-de-prata que anda devagar por um caminho estreito. Um novilho segue-o com dificuldade. Belém está à sua frente. A ansiedade surge dentro dele. Fazendeiros no campo notam sua presença. Aqueles que conhecem seu rosto sussurram seu nome. Aqueles que ouvem o seu nome se viram para fitar seu rosto.

"Samuel?" O sacerdote escolhido de Deus. Sua mãe era Ana. Seu mentor era Eli. Foi chamado por Deus. Quando os filhos de Eli ficaram amargurados, Samuel deu um passo à frente. Quando Israel precisou de foco espiritual, Samuel o proveu. Quando Israel quis um rei, Samuel ungiu um... Saul.

O mesmo nome leva Samuel a gemer. *Saul. O alto Saul. O forte Saul. Os israelitas queriam um rei, por isso temos um rei. Queriam um líder, por isso temos... um miserável.* Samuel olha de um lado para o outro, com medo de que pudesse ter dito em voz alta o que pretendia apenas pensar.

Ninguém o ouve. Ele está seguro... tão seguro quanto se pode estar durante o reinado de um rei que se tornou um maníaco. O coração de Saul está ficando mais duro, seus olhos ainda mais perturbados. Ele não é o rei que costumava ser. Aos olhos de Deus, nem rei ele é mais. O Senhor diz para Samuel:

> Até quando você irá se entristecer por causa de Saul? Eu o rejeitei como rei de Israel. Encha um chifre com óleo e vá a Belém; eu o enviarei a Jessé. Escolhi um de seus filhos para tornar-se rei (1 Samuel 16:1).

E assim Samuel segue o caminho para Belém. Sua barriga remexe e os pensamentos correm. É perigoso ungir um rei quando Israel já tem um. Contudo, é mais perigoso viver sem um líder nesses momentos explosivos.

Os mil anos anteriores a Cristo foram tempos ruins para esse ajuntamento decadente de tribos chamado Israel. Josué e Moisés eram heróis que figuravam na história. Três séculos de inverno espiritual haviam congelado a fé do povo. Um escritor descreveu os dias entre Josué e Samuel com esta sucinta frase: "Naquela época não havia rei em Israel; cada um fazia o que lhe parecia certo" (Juízes 21:25). A corrupção alimentava a divisão. A imoralidade gerava brutalidade. O povo exigiu um rei — mas, em vez de salvar o navio, Saul quase o fez afundar. O primeiro monarca de Israel revelou-se um asno psicótico.

E então surgiram os filisteus: um povo dado à guerra, sedento de sangue e fonte de gigantes, que monopolizava o ferro e o trabalho dos ferreiros. Eles eram pardos. Os hebreus eram rosados. Os filisteus construíam cidades; os hebreus amontoavam-se em tribos e tendas. Os filisteus faziam armas de ferro; os hebreus lutavam com fundas e flechas grosseiras. Os filisteus faziam ameaças gritando em carros reluzentes; os israelitas retaliavam com facas e ferramentas usadas em fazendas. Ora, em uma batalha todo o exército hebreu só tinha duas espadas — uma para Saul e a outra para seu filho Jônatas (1 Samuel 13:22).

A corrupção vinha de dentro. O perigo vinha de fora. Saul era fraco. A nação, mais fraca. O que Samuel deveria ter feito? O que Deus fez? Ele fez o que ninguém imaginou. Enviou um convite surpresa para todos os que eram de Nenhum Lugar.

Ele enviou Samuel para Red Eye, em Minnesota. Na verdade, não. Enviou o sacerdote para Sawgrass, no Mississippi. Não, não exatamente... Deu a Samuel uma passagem de ônibus para Muleshoe, no Texas.

Tudo bem, ele não fez isso também. Mas ele poderia ter feito. A Belém da época de Samuel era parecida com Red Eye, Sawgrass ou Muleshoe: uma vila sossegada, esquecida pelo tempo, que ficava em uma montanha no sopé de outras mais altas a quase dez quilômetros ao sul de Jerusalém. Belém ficava cerca de 600 metros acima do Mediterrâneo, de onde se viam colinas suaves e verdes que aplainavam pastos desolados e irregulares. Rute conhecia essa aldeia. Jesus clamou pela primeira vez sob o céu de Belém.

Contudo, mil anos antes de nascer um bebê em uma manjedoura, Samuel entra na vila, puxando um novilho. Sua chegada faz com que os habitantes virem suas cabeças para vê-lo. Profetas não visitam Belém. Viera ele para castigar alguém ou se esconder em algum lugar? Nem uma coisa nem outra — assegura o profeta de ombros caídos. Ele viera para sacrificar o animal para Deus e convida os anciãos e Jessé e seus filhos para se juntarem a ele.

A cena lembra uma exibição de cachorros. Jessé exibe seus filhos um de cada vez, como cães com coleiras. Samuel examina-os de vários ângulos, pronto, por mais de uma vez, para dar-lhes a distinção máxima; mas, em cada uma delas, Deus o impede.

Eliabe, o mais velho, parece a escolha lógica. Imagine-o como o Casanova da vila: cabelos ondulados, maxilar saudável. Ele usa uma calça *jeans* apertada e tem um sorriso perfeito. *Este é o cara*, pensa Samuel.

"Errado", diz Deus.

Abinadabe entra como o segundo irmão e concorrente. Você acharia que quem havia acabado de entrar era um modelo de uma revista masculina. Terno italiano. Sapatos de couro de crocodilo. Cabelos negros, alisados para trás com brilhantina. Quer um rei estiloso? Abinadabe tem esse perfil.

O SENHOR não vê como o homem: o homem vê a aparência, mas o SENHOR vê o coração (1 Samuel 16:7).

Deus não está interessado em estilo. Samuel pede para que entre o terceiro irmão, Samá. Ele é estudioso, aplicado. Lucraria com um transplante de carisma, mas tem massa cinzenta sobrando. É formado pela Universidade Estadual e está de olho em um programa de pós-graduação no Egito. Jessé sussurra para Samuel: "Orador oficial da Escola de Belém".

Samuel fica impressionado, mas Deus não. Deus faz o sacerdote se lembrar: "O SENHOR não vê como o homem: o homem vê a aparência, mas o SENHOR vê o coração" (1 Samuel 16:7).

Sete filhos passam. Sete filhos fracassam. O desfile pára.

Samuel conta os irmãos: um, dois, três, quatro, cinco, seis, sete.

– Jessé, você não tem oito filhos?

Uma pergunta semelhante fez a madrasta de Cinderela contorcer-se. Jessé provavelmente fez o mesmo. "Ainda tenho o caçula, mas ele está cuidando das ovelhas" (16:11).

O termo hebraico para "caçula" é *haqqaton* e indica mais do que idade; sugere posição. O *haqqaton* era mais do que o irmão caçula; era o *irmãozinho* — o tampinha, o *hobbit*, o "bêêê-bêêê".

Cabe ao *haqqaton* da família cuidar das ovelhas. Coloque o menino onde ele não possa causar problemas. Deixe-o com cabeças cheias de lã e céu aberto.

E é ali que encontramos Davi, no pasto com o rebanho. As Escrituras dedicam 66 capítulos à sua história, deixando-o, em número de referências, atrás somente de Jesus. O Novo Testamento menciona seu nome 59 vezes. Ele estabelecerá e habitará a cidade mais famosa do mundo, Jerusalém. O Filho de Deus será chamado o Filho de Davi. Os maiores salmos fluirão de sua pena. Iremos chamá-lo de rei, guerreiro, menestrel e matador de gigantes. Mas, hoje, ele nem está incluído na reunião familiar; é simplesmente uma criança esquecida e descredenciada, realizando uma tarefa doméstica em uma cidade que não passa de um ponto no mapa.

O que levou Deus a escolhê-lo? Queremos saber. Realmente queremos saber.

Afinal, andamos pelo pasto de Davi, o pasto da exclusão.

Estamos cansados do sistema superficial da sociedade, de sermos classificados de acordo com os centímetros de nossa cintura, os metros quadrados de nossa casa, a cor de nossa pele, o modelo de nosso carro, a marca de nossas roupas, o tamanho de nosso escritório, a presença de diplomas, a ausência de espinhas. Não estamos cansados desses joguinhos?

O trabalho duro é ignorado. A devoção não compensa. O chefe prefere a segmentação ao caráter. O professor escolhe alunos mimados em vez de alunos preparados. Os pais exibem seus filhos preferidos e deixam os nanicos lá fora no campo. Oh, o Golias da exclusão!

Você está cansado dele? Então é hora de parar de olhar para ele. Quem se importa com o que ele ou eles pensam? O que importa é o que o seu Criador pensa. "O SENHOR não vê como o homem: o homem vê a aparência, mas o SENHOR vê o coração" (16:7).

Essas palavras foram escritas para os *haqqatons* da sociedade, os que se sentem como peixes fora d'água, excluídos. Deus usa a todos eles.

Moisés fugiu da justiça, mas Deus o usou.

Jonas fugiu de Deus, mas Deus o usou.

Raabe dirigia um bordel, Sansão correu para os braços da mulher errada, Jacó correu em círculos, Elias correu para as montanhas, Sara perdeu a esperança, Ló andou com a multidão errada, mas Deus usou a todos eles.

E Davi? Deus viu um adolescente servindo-lhe lá no meio do mato, em Belém, entre o tédio e o anonimato, e, com a voz de um irmão, Deus chamou: "Davi! Entre. Alguém quer vê-lo". Os olhos humanos viram um adolescente magricelo entrar na casa, cheirando a ovelha e com a aparência de quem precisava de um banho. Contudo, "o SENHOR disse: 'É este! Levante-se e unja-o'" (16:12).

Deus viu o que ninguém viu: um coração que o buscava. Davi, apesar de todos os seus defeitos, buscava Deus assim como uma cotovia procura o nascer do sol. Ele buscava o coração de Deus, porque esperava no coração de Deus. No final, é tudo o que Deus queria ou precisava... quer ou precisa. Outras pessoas medem o tamanho de sua cintura ou de sua carteira. Deus não. Ele examina corações. Quando encontra um coração que está nele, Deus o chama e o reclama para si.

Deus examina corações. Quando encontra um coração que está nele, ele o chama e o reclama.

A propósito, você se lembra de quanto esperei pelo toque do telefone naquela noite? Ele nunca tocou. Mas a campainha da porta sim.

Muito tempo depois de minhas esperanças terem se esvaído e de minha luva ter sido pendurada, a campainha tocou. Era o técnico. Ele deu a entender que eu havia sido o primeiro a ser escolhido e achou que um assistente havia telefonado para mim. Só depois descobri a verdade. Eu havia sido o último a ser escolhido. E, não fosse o telefonema de meu pai, talvez eu ficasse de fora do time.

Mas papai telefonou e o técnico apareceu; e eu fiquei feliz em jogar.

A história do jovem Davi dá-nos esta garantia: seu Pai conhece o seu coração e, por causa disso, ele tem um lugar reservado somente para você.

Capítulo 3

Sauls furiosos

Sharon verifica o espelho retrovisor… mais uma vez. Estuda o rosto de outros motoristas... de novo. Procura por ele porque sabe que ele virá à sua procura... uma vez mais.

"Nada me afastará de você", dizia a mensagem que Tony deixara na caixa postal de Sharon. "Sou seu marido."

Os ataques repentinos de raiva, o punho ligeiro do marido e seus olhos roxos provocaram o divórcio. Ele ainda negligenciava advertências, ignorava ordens restritas e ridicularizava a lei.

Por isso Sharon consulta o retrovisor... insistentemente.

Perto dali, Adam, funcionário de um escritório, faz a mesma coisa. Ele espia a porta da sala de seu chefe, vê a cadeira vazia e suspira de alívio. Com um pouco de sorte, ele terá uma hora, talvez duas, antes que o Tio Patinhas do mundo da Internet apareça à sua porta, provavelmente de ressaca, furioso e desorientado.

O Tio Patinhas Jr. herdou a empresa do Sr. Tio Patinhas. Dirigir a empresa é algo que deixa Júnior frustrado. Ele redireciona seu estresse para os funcionários de quem mais precisa, como, por exemplo, Adam. Júnior fala alto e esbraveja; solta insultos todos os dias e distribui elogios com a freqüência de um cometa Halley.

Sharon se esquiva do ex-marido, Adam evita o chefe. E você? Que bicho-papão vagueia pelo seu mundo?

Mães controladoras. Técnicos que vieram da escola de Stalin. O professor bravo de matemática. O comandante autonomeado do cubículo. O rei que decide encravar o jovem pastor na parede.

Essa última história aconteceu com Davi. Pobre Davi. O vale de Elá revelou-se um campo de treinamento para a corte real. Quando Golias perdeu sua cabeça, os hebreus transformaram Davi em seu herói. O povo promoveu um desfile para espalhar rapidamente a notícia, cantando: "Saul matou milhares e Davi, dezenas de milhares" (1 Samuel 18:7).

Saul explode como o vulcão Vesúvio. Passa a examinar Davi "dali em diante" (18:9). O rei já tem a alma perturbada, propensa a ter acessos de raiva, suficientemente louca para comer abelhas. A popularidade de Davi irritou Saul. "Encravarei Davi na parede" (18:11).

Saul tenta matar o menino de ouro de Belém em seis diferentes momentos. Primeiro, ele pede a Davi que se case com sua filha Mical. Parece um gesto gentil, até você ler sobre o preço brutal que Saul exigiu pela noiva. O prepúcio de cem filisteus. *Sem dúvida, um dos filisteus matará Davi*, espera Saul. Não é o que acontece. Davi dobra a exigência e volta com a prova (18:25-27).

Saul não desiste. Ordena aos seus servos e a Jônatas que matem Davi, mas eles se recusam a fazê-lo (19:1). Ele tenta encravá-lo com a lança outra vez, mas não consegue (19:10). Saul envia mensageiros à casa de Davi para o matarem, mas Mical, esposa de Davi, o faz descer por uma janela. Davi, o papa-léguas, fica um passo à frente de Saul, o coiote.

A raiva de Saul estarrece Davi. O que ele fez senão o bem? Ele levou cura pela música ao espírito atormentado de Saul, esperança à nação enfraquecida. Ele é o Abraham Lincoln da calamidade dos hebreus, salvando a república e fazendo isso modesta e honestamente. Ele "tinha êxito em tudo o que fazia" (18:14). "Todo o Israel e todo o Judá, porém, gostavam de Davi" (18:16). Davi "tinha mais habilidade do que os outros oficiais de Saul e assim tornou-se ainda mais famoso" (18:30).

Contudo, o monte Saul continua em erupção, recompensando os feitos de Davi com lanças voadoras e planos para assassiná-lo. Entendemos a pergunta que Davi faz para Jônatas: "O que foi que eu fiz? Qual foi o meu crime? Qual foi o pecado que cometi contra seu pai para que ele queira tirar a minha vida?" (20:1).

Jônatas não tem resposta para dar, pois não há resposta. Quem pode justificar a raiva de um Saul?

Quem sabe por que um pai atormenta um filho, uma esposa desdenha o marido, um chefe coloca os funcionários uns contra os outros? Mas é o que acontece. Saul ainda tem raiva de nosso planeta. Ditadores torturam, patrões seduzem, ministros abusam, sacerdotes molestam, os fortes e poderosos controlam e enganam os vulneráveis e inocentes. Os Sauls ainda perseguem os Davis.

Como Deus responde em tais casos? Aplica o castigo merecido? Talvez queiramos que ele faça isso. Ele tornou-se conhecido por acabar com alguns Herodes e faraós. Não posso dizer como ele cuidará dos seus. Ele lhe enviará um Jônatas.

Deus responde à crueldade de Saul com a lealdade de Jônatas. Jônatas poderia ter ficado tão enciumado quanto Saul. Como filho de Saul, ele preparava-se para herdar o trono. Como um nobre soldado, ele estava lutando contra os filisteus enquanto Davi ainda estava apascentando ovelhas.

Jônatas tinha razão para desprezar Davi, mas não desprezava. Ele era generoso. Generoso porque a mão do Tecelão Mestre tomou seu coração e o de Davi e fez uma emenda entre eles. "Surgiu tão grande amizade entre Jônatas e Davi que Jônatas tornou-se o seu melhor amigo" (18:1).

A mão do Tecelão Mestre tomou seu coração
e o de Davi e fez uma emenda entre eles.

Como se dois corações fossem dois tecidos, Deus os "costura e junta com um fio". De tão entrelaçados que estão, quando um é deslocado, o outro percebe. Quando um é esticado, o outro sabe.

No dia em que Davi derrota Golias, Jônatas jura sua lealdade.

> E Jônatas fez um acordo de amizade com Davi, pois se tornara o seu melhor amigo. Jônatas tirou o manto que estava vestindo e o deu a Davi, com sua túnica, e até sua espada, seu arco e seu cinturão (18:3,4).

Jônatas troca as vestes de pastor de Davi por seu próprio manto de púrpura: o manto de um príncipe. Ele dá sua espada de presente para Davi. Ele, efetivamente, coroa o jovem Davi. O herdeiro do trono entrega seu trono.

E, depois, ele protege Davi. Quando fica sabendo dos planos de Saul, Jônatas avisa seu novo amigo. Quando Saul vem em busca de Davi, Jônatas o esconde. Ele normalmente dá-lhe avisos como este: "Meu pai está procurando uma oportunidade para matá-lo. Tenha cuidado amanhã cedo. Vá para um esconderijo e fique por lá" (19:2).

Jônatas faz uma promessa a Davi e dá-lhe roupas e proteção. "Existe amigo mais apegado que um irmão" (Provérbios 18:24). Davi encontrou tal amigo no filho de Saul.

Oh, como é bom ter um amigo como Jônatas. Um amigo e confidente que o protege, que não procura nada senão o seu bem, que não quer nada senão a sua felicidade. Um aliado que o permite ser quem você é. Você sente-se seguro com essa pessoa. Não é preciso pesar pensamentos ou medir palavras. Você sabe que a mão dele separará o joio do trigo, reterá o que é importante e, com um sopro de bondade, soprará o restante. Deus deu a Davi esse amigo.

Ele deu um a você também. Davi encontrou um companheiro em um príncipe de Israel; você pode encontrar um amigo no Rei de Israel, Jesus Cristo. Ele não fez uma aliança com você? Entre suas últimas palavras estão as seguintes: "Eu estarei sempre com vocês, até o fim dos tempos" (Mateus 28:20).

Davi encontrou um companheiro em um príncipe de Israel; você pode encontrar um amigo no Rei de Israel, Jesus Cristo.

Ele não o vestiu? Ele oferece-lhe "roupas brancas para que você cubra a sua vergonhosa nudez" (Apocalipse 3:18). Cristo cobre-o com vestes adequadas para o céu.

Na verdade, ele vai além de Jônatas. Ele não só lhe dá o próprio manto; ele põe seus trapos. "Deus tornou pecado por nós aquele que não tinha pecado, para que nele nos tornássemos justiça de Deus" (2 Coríntios 5:21).

Jesus veste você. E, como Jônatas, ele prepara-o. Você é convidado a "[vestir] toda a armadura de Deus, para [poder] ficar [firme] contra as ciladas do Diabo" (Efésios 6:11).

Você quer um amigo verdadeiro? Você tem um. E, por causa disso, você tem uma escolha. Você pode concentrar-se em seu Saul ou em seu Jônatas, ponderar sobre a malícia de seu monstro ou a bondade de seu Cristo.

De seu arsenal, Deus dá-lhe o cinto da verdade, a couraça da justiça, o escudo da fé e a espada do Espírito, que é a palavra de Deus (vv. 13-17).

Assim como Jônatas protegeu Davi, Jesus promete protegê-lo. "Eu lhes dou a vida eterna e elas [as minhas ovelhas] jamais perecerão; ninguém as poderá arrancar da minha mão" (João 10:28).

Você quer um amigo verdadeiro? Você tem um. E, por causa disso, você tem uma escolha. Você pode concentrar-se em seu Saul ou em seu Jônatas, ponderar sobre a malícia de seu monstro ou a bondade de seu Cristo.

Beverly[5] prefere superestimar Cristo. Não é fácil. Como você consegue tirar seu foco do homem que a estuprou? Ele entrou na casa de Beverly passando-se por funcionário público. Ela tinha todos os motivos para confiar nele: relação pessoal e parceria profissional. Ele trabalhava para o Estado e solicitou uma audiência com ela. Mas ele a fez perder mais do que seu tempo.

Ele negou e conseguiu encobrir o ato. Enquanto ele continua a subir na escada política, Beverly reconhece-o no noticiário noturno, encontra-o em festas. Enquanto ele finge ser inocente, ela revolve-se por dentro.

Mas não do modo como ela estava acostumada. Dois anos depois do estupro, ela conheceu seu Jônatas. Uma amiga falou-lhe de Cristo — sua proteção, sua provisão e seu convite. Ela aceitou. As lembranças do estupro ainda a perseguem, mas não a controlam. Ela não ficou mais sozinha com seu Saul. Ela busca Cristo, em vez de vingança; avalia escolhas tendo em vista a misericórdia dele, não a crueldade de quem a violentou. Beverly medita na presença viva de Jesus e a louva. Fazer isso é algo que cura sua alma.

Especialize-se em seu imperador do mal, se quiser. Faça chifres na foto dele. Lance flechas no retrato dele. Faça e memorize uma lista com tudo aquilo que as coisas que contaminaram sua mente levaram: sua infância, sua carreira, seu casamento, sua saúde. Leve uma vida cheia de Sauls. Atole-se na lama da dor. Você se sentirá melhor, não é?

Ou não se sentirá?

Passei boa parte do verão do colégio mergulhado na lama. Trabalhar em campos petrolíferos é um serviço consideravelmente sujo, na melhor das hipóteses. Mas seria esse o serviço mais sujo de todos? Não. Remover o lodo de tanques de petróleo vazios certamente era pior. O chefe da seção deixava esses serviços para os ajudantes que apareciam no verão. (Obrigado, chefe.) Colocávamos máscaras de gás, fazíamos força para abrir a porta de metal e entrávamos, tendo lama contaminada na altura dos tornozelos. Minha mãe queimava as roupas que eu usava para trabalhar. O mau cheiro impregnava o ar.

Fique um bom tempo mergulhado no fedor de sua dor e você ficará com o cheiro da toxina que tanto despreza.

Destino semelhante podem ter as suas roupas. Fique um bom tempo mergulhado no fedor de sua dor e você ficará com o cheiro da toxina que tanto despreza.

Qual a melhor opção? Fique na companhia de seu Jônatas. Lamente-se menos por Saul; adore mais a Cristo. Junte-se a Davi enquanto ele proclama:

> O SENHOR vive!
> Bendita seja a minha Rocha!...
> Este é o Deus que em meu favor executa vingança,
> Que a mim sujeita nações.
> Tu me livraste dos meus inimigos...
> E de homens violentos me libertaste.
> Por isso eu te louvarei entre as nações, ó SENHOR;
> Cantarei louvores ao teu nome (Salmo 18:46-49).

Passeie livre e diariamente pela galeria da bondade de Deus. Catalogue os atos de bondade de Deus. Tudo, dos pores-de-sol à salvação — olhe para o que você tem. Seu Saul levou muita coisa, mas Cristo lhe deu mais! Deixe que Jesus seja o amigo de que você precisa. Converse com ele. Não poupe detalhes. Revele seu temor e descreva seu medo.

Seu Saul desaparecerá? Quem sabe? E até que ponto isso realmente importa? Você acaba de encontrar um amigo para toda a vida. O que poderia ser melhor do que isso?

Capítulo 4

Dias de desespero

O homem desesperado está sentado em um dos cantos da igreja durante a reunião. Boca seca, mãos suando. Ele mal se mexe. Sente-se deslocado em uma sala de discípulos, mas para onde mais ele pode ir? Acaba de violar cada uma de suas crenças. Feriu cada uma das pessoa que ama. Passou uma noite fazendo o que jurou que jamais voltaria a fazer. E agora, no domingo, lá está ele sentado — e com o olhar fixo. Ele não fala. *Se essas pessoas soubessem o que fiz...*

Sente-se assustado, culpado e sozinho.

Ele poderia ser um viciado, um ladrão, espancar os filhos, espancar a mulher.

Ele poderia ser ela — solteira, grávida, confusa. Poderia ser um sem-número de pessoas, pois um número indeterminado de pessoas procura o povo de Deus nessas condições — de desespero, infelicidade, desamparo.

Como a congregação reagirá? O que ele encontrará? Críticas ou compaixão? Rejeição ou aceitação? Sobrancelhas levantadas ou mãos estendidas?

Davi pergunta as mesmas coisas para si mesmo. Ele está em fuga, é um homem procurado na corte de Saul. Seu rosto jovem está estampado em cartazes em agências de correio. Seu nome aparece no topo da lista de pessoas que Saul deseja matar. Ele foge, olhando por sobre o ombro, dormindo com um olho aberto e comendo com sua cadeira próxima à saída do restaurante.

Que série obscura de eventos! Não fazia dois ou três anos de quando ele estava apascentando rebanhos em Belém! Naquela época, bom era ver as ovelhas dormindo. Então apareceu Samuel, um idoso profeta com farta cabeleira e um chifre cheio de óleo. Assim como o óleo, o Espírito de Deus cobria Davi.

Davi deixou de fazer serenatas para ovelhas e passou a fazê-las para Saul. O tampinha ignorado da cria de Jessé estava na boca do povo — o rei Artur para a época da Camelot de Israel, belo e humilde. Os inimigos temiam-no. Jônatas amava-o. Mical casou-se com ele. Saul odiava-o.

Após o sexto atentado contra sua vida, Davi entende a razão. *Saul não gosta de mim.* Tendo a própria cabeça por recompensa e um bando armado em seu rastro, ele beija Mical, dá adeus à vida na corte e foge.

Mas para onde ele pode ir? Para Belém e arriscar a vida de sua família? Para o território do inimigo e arriscar a própria vida? Isso se torna uma opção mais tarde. Por enquanto, ele escolhe outro esconderijo. Ele vai à igreja. "Davi foi falar com o sacerdote Aimeleque, em Nobe" (1 Samuel 21:1).

Estudiosos indicam uma colina a cerca de um quilômetro e meio ao nordeste de Jerusalém como o provável lugar da cidade antiga de Nobe. Ali, Aimeleque, bisneto de Eli, dirigia, em termos, um mosteiro. Oitenta e cinco sacerdotes serviam em Nobe, o que lhe rendeu a alcunha de "a cidade dos sacerdotes" (22:19). Davi vai correndo para a cidadezinha, procurando abrigo para escapar de seus inimigos.

Sua chegada provoca um medo compreensível em Aimeleque. Ele "tremia de medo quando se encontrou com Davi" (21:1). O que leva um guerreiro a Nobe? O que o genro do rei deseja?

Davi garante sua segurança mentindo para o sacerdote:

> O rei me encarregou de uma certa missão e me disse: 'Ninguém deve saber coisa alguma sobre sua missão e sobre as suas instruções'... Agora, então, o que você pode me oferecer? Dême cinco pães ou o que você tiver (21:2,3).

Desesperado, Davi recorre à mentira. Isso nos surpreende. Até aqui Davi fora brilhante, impecável, puro — Branca de Neve em um elenco de bruxas com verrugas no nariz. Ele permaneceu calmo quando seus irmãos o repreenderam; permaneceu forte quando Golias bramiu; manteve a calma quando Saul perdeu a dele.

Mas agora ele mente como um chefe mafioso no confessionário. Descaradamente. Convincentemente. Saul não o havia encarregado de missão alguma. Ele não está cumprindo um serviço real secreto. Ele é um fugitivo. Injustamente, é claro. Mas, ainda assim, um fugitivo. E ele mente sobre isso.

O sacerdote não interroga Davi. Ele não tem razão para duvidar do fujão. Ele simplesmente não tem nenhum recurso para ajudá-lo. O sacerdote tem pão, não pão comum, mas pão consagrado. O pão da Presença. Todos os sábados, o sacerdote colocava doze pães de trigo sobre a mesa como uma oferta a Deus. Após uma semana, e somente uma semana depois, os sacerdotes, e somente os sacerdotes, podiam comer o pão (como se alguém quisesse o pão de uma semana.) Não obstante, as opções e o colarinho clerical de Aimeleque encolhem.

Davi não é sacerdote. E o pão acabara de ser colocado sobre o altar. O que Aimeleque deveria fazer? Distribuir o pão e transgredir a lei? Guardar o pão e ignorar a fome de Davi? O sacerdote procura uma escapatória: "Não tenho pão comum; somente pão consagrado; se os soldados não tiveram relações com mulheres recentemente, podem comê-lo" (21:4).

Aimeleque deseja saber se Davi e seus homens vinham se comportando. Pode culpar o aroma de pão recém-assado, mas Davi responde com a segunda mentira e uma escorregadela teológica. Seus homens não puseram os olhos, muito menos as mãos, em uma moça. E o pão consagrado? Ele põe o braço no ombro do sacerdote, segue com ele em direção ao altar e sugere: *Sabe, Aime, meu camarada*, "o pão terá o efeito de sempre, ainda que tenha sido santificado na vasilha" (21:5). Mesmo os pães consagrados, raciocina Davi, ainda são assados no forno e levam farinha. Pão é pão, certo?

Davi, o que você está fazendo? Mentir não é suficiente? Agora você está sendo leviano com as Escrituras e tentando persuadir o pregador?

Funciona. O sacerdote dá-lhe do pão consagrado, "visto que não havia outro além do pão da Presença, que era retirado de diante do SE-

NHOR e substituído por pão quente no dia em que era tirado" (21:6).

Ávido, Davi devora o pão. É provável que Aimeleque também tenha feito o mesmo. Ele pergunta-se se fez a coisa certa. Ele inverteu a lei? Violou a lei? Obedeceu a uma lei superior? O sacerdote concluiu que o apelo maior era a barriga vazia. Em vez de pôr os pingos nos is do código de Deus, ele supriu a necessidade do filho de Deus.

E como Davi retribui a compaixão de Aimeleque? Com outra mentira! "Você tem uma lança ou uma espada aqui? Não trouxe a minha espada nem qualquer outra arma, pois o rei exigiu urgência" (21:8).

A fé de Davi está vacilando. Não fazia muito tempo e a funda do pastor era tudo de que ele precisava. Agora aquele que recusou a armadura e espada de Saul pede uma arma ao sacerdote. O que aconteceu com nosso herói?

Simples. Ele perdeu seu foco em Deus. Golias está no telão da imaginação de Davi. Conseqüentemente, começou o desespero. O desespero que cria mentiras, incita o medo, esconde a verdade. Não há onde se esconder. Não há o que comer.

Para o que tem fome espiritual, a igreja oferece alimento.

Não há refúgio. Não há recurso. Adolescentes e grávidas, os de meia-idade e os arruinados, os velhos e doentes... Para onde os desesperados podem ir?

Eles podem ir ao santuário de Deus. À igreja de Deus. Podem procurar um Aimeleque, um líder da igreja com um coração voltado para almas desesperadas.

Aimeleque deu pão para Davi; agora Davi quer uma espada. A única arma que há no santuário é uma relíquia, a espada de Golias. A espada que Davi usou para decapitar a cabeça do gigante. Os sacerdotes estão expondo a espada como a Galeria da Academia de Florença, na Itália, expõe a estátua de *Davi*, de Michelângelo.

"Esta está perfeita", diz Davi. E aquele que entra no santuário com fome e desarmado sai com a barriga cheia de pão e com a espada de um gigante.

Eugene Peterson, escritor e pastor, vê este intercâmbio como a função da igreja. "Um santuário", ele escreve, "é... o lugar onde eu, como Davi, consigo pão e uma espada, força para o dia e armas para a batalha."[1]

Para o que tem fome espiritual, a igreja oferece alimento:

> Pois estou convencido de que nem morte nem vida, nem anjos nem demônios, nem o presente nem o futuro, nem quaisquer poderes, nem altura nem profundidade, nem qualquer outra coisa na criação será capaz de nos separar do amor de Deus que está em Cristo Jesus, nosso Senhor (Romanos 8:38-39).

Para o fugitivo, a igreja oferece as armas da verdade:

> Sabemos que Deus age em todas as coisas para o bem daqueles que o amam, dos que foram chamados de acordo com o seu propósito (Romanos 8:28).

Pão e espadas. Comida e equipamento. A igreja existe para prover ambas as coisas. Ela consegue fazer isso? Nem sempre. Ajudar pessoas nunca é um negócio organizado, porque as pessoas que precisam de ajuda não levam uma vida organizada. Elas entram na igreja como fugitivos, pedindo abrigo para escapar dos Sauls furiosos, em alguns casos, e das más escolhas em outros. Os Aimeleques da igreja (líderes, mestres, pastores e assim por diante) são forçados a optar não entre o preto e o branco, mas por tons de cinza; não entre o certo e o errado, mas por um pouco de cada.

Procurar o espírito — mais do que a letra — da lei.

Jesus convida a igreja a se inclinar na direção da compaixão. Um milênio depois o Filho de Davi lembra a flexibilidade de Aimeleque.

> Naquela ocasião Jesus passou pelas lavouras de cereal no sábado. Seus discípulos estavam com fome e começaram a colher espigas para comê-las. Os fariseus, vendo aquilo, lhe disseram: "Olha, os teus discípulos estão fazendo o que não é permi-

> tido no sábado". Ele respondeu: "Vocês não leram o que fez Davi quando ele e seus companheiros estavam com fome? Ele entrou na casa de Deus e, junto com os seus companheiros, comeu os pães da Presença, o que não lhes era permitido fazer, mas apenas aos sacerdotes. Ou vocês não leram na Lei que, no sábado, os sacerdotes no templo profanam esse dia e, contudo, ficam sem culpa?" (Mateus 12:1-5).

No final do dia no santuário, a pergunta não deve ser quantas leis foram violadas, mas, em vez disso, quantos Davis desesperados foram alimentados e equipados? Aimeleque ensina a igreja a procurar o espírito — mais do que a letra — da lei.

Davi ensina os desesperados a buscar ajuda entre o povo de Deus. Davi tropeça nessa história. Almas desesperadas sempre tropeçam.

Davi ensina os desesperados a buscar
ajuda entre o povo de Deus.

Mas, pelo menos, ele tropeça no lugar certo — no santuário de Deus, onde Deus atende e ministra aos corações desesperados.

Voltemos à história com a qual começamos este capítulo: o homem ofegante e descuidado está sentado na igreja durante a reunião.

Mencionei o tamanho da congregação? Pequena. Uma dúzia ou algo assim de almas reunidas em busca de força. Falei onde elas se reúnem? Em uma sala no primeiro andar que elas tomaram emprestada em Jerusalém. E em que dia? Domingo. O domingo após a crucificação na sexta. O domingo após a traição na noite de terça.

Uma igreja de discípulos desesperados.

Pedro agacha-se na esquina e tapa os ouvidos, mas não pode calar o som de sua promessa vazia. "Estou pronto... para a *morte*" (Lucas 22:33).

Deus traz pão para a nossa alma. "Paz seja com vocês", e uma espada para a batalha. "Recebam o Espírito Santo".

Mas sua coragem desapareceu no fogo e no medo da meia-noite. E agora ele e os outros desertores se perguntam que lugar Deus tem para eles. Jesus responde à pergunta passando pela porta.

Ele traz pão para a alma deles. "Paz seja com vocês" (João 20:19). Ele traz uma espada para a batalha. "Recebam o Espírito Santo" (v. 22).

Pão e espadas. Ele dá ambas as coisas aos desesperados.

Ainda

Capítulo 5

Estações secas

O Mar Morto está morrendo. Gota a gota, a uma razão de aproximadamente 90 centímetros por ano, ele está recuando. A Galiléia lança seus fluidos frescos pelo canal da Jordânia, águas dignas do batismo de um Messias. Mas o Mar Morto o empobrece: turvando, acidulando, criando um cemitério salino. Encontra-se pouca vida em suas águas.

Encontra-se pouca vida em suas imediações. Penhascos fatais erguem-se ao oeste, formando um paredão de cerca de 610 metros. A erosão marcou a terra deixando muitas cavernas, sulcos e cânions esparsos: um lar para hienas, lagartos, abutres... e para Davi. Não por escolha, lembre-se. Ele não queria trocar o palácio pelas terras assoladas pela erosão. Ninguém escolhe o deserto. Ele o ataca de todas as direções — calor e chuva, tempestades de areia e de granizo. Preferimos quartos com ar-condicionado e becos sem saída — segurança.

Mas às vezes não temos direito de escolha. A calamidade chega e o telhado racha. O tornado ergue-nos e solta-nos no deserto. Não no deserto ao sudeste de Israel, mas no deserto da alma.

Uma época de seca.

O isolamento marca tais épocas. Saul isolou, efetiva e sistematicamente, Davi de toda fonte de estabilidade.

As seis tentativas de assassinato acabaram com a carreira militar de Davi, que teve também seu casamento abalado por toda aquela perseguição.

O deserto começa com separações. Continua com engano.

Depois que Mical, esposa de Davi, o ajudou a escapar, Saul exigiu dela uma explicação. "Tive de fazê-lo", ela mentiu. "Ele me disse que o deixasse fugir, se não me mataria" (1 Samuel 19:17). Davi nunca mais confiou em sua esposa. Eles continuaram casados, mas dormiam em camas separadas.

Davi corre da corte de Saul para a casa de Samuel. Mas logo que ele chega, alguém diz para Saul: "Davi está em Naiote, em Ramá" (19:19).

Davi foge procurando refúgio em Jônatas, seu amigo e confidente. Jônatas quer ajudar, mas o que ele pode fazer? Deixar a corte nas mãos de um louco? Não, Jônatas tem de ficar com Saul. Davi, como se estivesse escalando uma montanha, já ouve os fios de sua corda se arrebentando e sabe que logo estará no ar, sem nenhuma ajuda de Jônatas.

Sem lugar na corte.

Sem posição no exército.

Sem esposa, sem sacerdote, sem amigo.

Nada a fazer senão correr. O deserto começa com separações. Continua com engano.

Vimos a má-fé de Davi em Nobe, a cidade dos sacerdotes. A cidade era santa; Davi era tudo menos santo. Ele mentia sempre que abria a boca.

Davi piora antes de ficar melhor. Foge para Gate, cidade natal de Golias. Tenta forjar uma amizade baseada em um adversário comum. Se Saul é o seu inimigo e Saul é também o meu inimigo, somos nós amigos, certo?

Nesse caso, errado.

Os giteus não são hospitaleiros. "Não é este Davi, o rei da terra de Israel"? — perguntam. "Não é aquele acerca de quem cantavam em suas danças: 'Saul abateu seus milhares e Davi suas dezenas de milhares'?" (21:11).

Davi entra em pânico. Ele é um cordeiro no meio de uma matilha de lobos. Homens altos, muros ainda mais altos. Olhares penetrantes, lanças cortantes. Gostaríamos de ouvi-lo fazer uma oração ao seu Pastor; ficaríamos agradecidos por uma manifestação da força de Deus. Não prenda a respiração. Davi não vê Deus. Ele vê confusão. Assim ele segura os problemas com as próprias mãos.

Ele finge ser louco, riscando as portas da cidade e deixando escorrer saliva pela barba. Finalmente, o rei de Gate diz para seus homens: "'Vejam este homem! Ele está louco! Por que trazê-lo aqui? Será que me faltam loucos para que vocês o tragam para agir como doido na minha frente?' Davi então fugiu da cidade de Gate, e dirigiu-se para a caverna de Adulão" (21:14–22:1).

Será que arriscamos imaginar essa cena de Davi? De olhos arregalados, tremendo como gelatina. Ele põe a língua para fora, rola na lama, resmunga e dá risadinhas, cospe, treme e espumeja. Davi finge ter uma espécie de epilepsia.

Os filisteus acreditavam que um "epiléptico era possuído pelo espírito de Dagom e que esse espírito deixava maridos impotentes, mulheres estéreis, causava a morte de crianças e vômito nos animais". Temendo que cada gota do sangue de um epiléptico criasse mais um demônio, os filisteus expulsavam os epilépticos de suas cidades e os enviavam para morrer no deserto.[1] E foi o que fizeram com Davi. Eles o puseram para fora dos portões da cidade e o deixaram sem ter para onde ir.

Ele não poderia ir para a corte de Saul nem para a casa de Mical, nem para a cidade de Samuel nem para a segurança de Nobe. Por isso ele vai para o único lugar possível — o lugar para onde ninguém vai, porque lá nada sobrevive. Ele vai para o deserto, para o ermo; segue para os cânions em forma de favo de mel que dão vista para o Mar Morto. Ele encontra um lugar chamado de caverna de Adulão. Lá ele encontra sombra, silêncio e segurança. Ele estende-se sobre a terra fria, fecha os olhos e começa sua década no deserto.

Você consegue relacionar sua história com a de Davi?

Seu Saul retirou você da posição que você tinha e afastou você das pessoas que você ama?

Em um esforço para se pôr em pé, você distorceu a verdade? Distorceu os fatos?

Você está procurando refúgio em Gate? Sob circunstâncias normais, você jamais iria para lá. Mas essas não são circunstâncias normais, por isso você perde tempo na terra que cria gigantes. A cidade da confusão. Os braços de uma mulher ou aquele bar. Você anda por ruas escuras e lugares muitas vezes duvidosos. E, enquanto está ali, você enlouquece. Para que a multidão o aceite, para que o estresse não o mate, você fica alucinado. Você acorda em uma caverna do Mar Morto, nas grutas de Adulão, no ponto mais baixo de sua vida, como se tivesse um cérebro de minhoca. Você olha lá para fora para um futuro árido, duro e despovoado, e pergunta: "O que faço agora?".

Sugiro que você deixe Davi ser seu professor. É claro que ele fica desnorteado em alguns versículos. Mas, na caverna de Adulão, ele se anima. O fiel menino-pastor surge novamente. O matador de gigantes redescobre a coragem. Sim, ele tem a cabeça a prêmio. Sim, ele não tem onde recostar a cabeça, mas de algum modo ele se se descontrola.

Seu foco volta-se novamente para Deus e Davi encontra refúgio.

O *refúgio* surge como uma das palavras favoritas de Davi. Faça um círculo nessa palavra no livro de Salmos e você verá que há mais de 40 ocorrências dela em algumas versões. Mas nunca Davi usou o termo de forma mais acerbada do que no Salmo 57. A introdução para a passagem explica seu contexto: "Poema epigráfico davídico. Quando Davi fugiu de Saul para a caverna".

Imagine o filho de Jessé na penumbra: de joelhos, talvez com o rosto em terra, perdido em meio às sombras e aos pensamentos. Ele não tem para onde se virar. Se for para casa, ele põe sua família em perigo; se for para o tabernáculo, ele põe os sacerdotes em perigo. Saul irá matá-lo; Gate não o aceitará. Ele mentiu no santuário e se passou por louco para os filisteus; e aqui está ele sentado. Completamente sozinho.

Mas então ele se lembra de que, na realidade, não está. Ele não está sozinho. E do fundo da caverna uma doce voz paira no ar:

> Misericórdia, ó Deus misericórdia,
> Pois em ti a minha alma se refugia.
> Eu me refugiarei à sombra das tuas asas, até que passe o perigo (v. 1).

Faça de Deus seu refúgio. Não seu emprego, seu cônjuge, sua reputação ou seu plano de previdência. Faça de Deus seu refúgio. Deixe que Deus, não Saul, o cerque. Deixe que ele seja o teto que protege o ambiente da luz do sol, as paredes que detêm o vento, o alicerce sobre o qual você está.

Um homem que morava em uma caverna dirigiu-se à nossa igreja recentemente. Ele tinha o cheiro da caverna de Adulão. Havia acabado de enterrar a esposa e sua filha estava ficando mais doente a cada dia. Contudo, na terra seca ele encontrou Deus. Escrevi o que ele descobriu na página em branco de minha Bíblia: "Você jamais saberá que Jesus é tudo de que você precisa até Jesus ser tudo o que você tem".

Os que sobrevivem ao deserto encontram refúgio na presença de Deus.

Eles também descobrem uma comunidade entre o povo de Deus.

> Quando seus irmãos e seu pai souberam disso, foram até lá para encontrá-lo. Também juntaram-se a ele todos os que estavam em dificuldades, os endividados e os descontentes; e ele se tornou o líder deles. Havia cerca de 400 homens com ele (1 Samuel 22:1,2).

Não se tratava de algo que você compararia a um corpo de cadetes da mais famosa academia militar. Estavam em dificuldades, endividados e descontentes. Que bando! Desajustados, sim. A escória da sociedade, sem dúvida. Rejeitados. Perdedores. Marginais.

Assim como a igreja. Não somos os que estão em dificuldades, os endividados e os descontentes?

> Irmãos, pensem no que vocês eram quando foram chamados. Poucos eram sábios segundo os padrões humanos; poucos eram poderosos; poucos eram de nobre nascimento. Mas Deus escolheu o que para o mundo é loucura para envergonhar os sábios, e escolheu o que para o mundo é fraqueza para envergonhar o que é forte (1 Coríntios 1:26,27).

Igrejas fortes estão cheias de ex-moradores de cavernas e dos que ainda moram em cavernas, pessoas que conhecem o terreno de Adulão. Elas contaram algumas mentiras em Nobe. Passaram-se por loucas em Gate. E não se esqueceram. E, por causa disso, imitam Davi: elas dão espaço para você.

Quem é Davi para mandar esses homens embora? Ele não é candidato para a arquidiocese. Ele é um ímã para os marginais. Assim Davi cria uma comunidade de desajustados que buscam Deus. Deus faz deles um grupo poderoso: "Diariamente chegavam soldados para ajudar Davi, até que o seu exército tornou-se tão grande quanto o exército de Deus" (1 Crônicas 12:22).

Gate. Deserto. Caverna de Adulão.

Loucura. Solidão. Restauração.

Davi encontrou todos esses três elementos. O mesmo aconteceu com Whit Criswell. Este homem de Kentucky foi criado em um lar cristão. Quando jovem, serviu como ministro em uma igreja cristã. Mas se pôs a jogar, arriscando diariamente seu salário em jogos de beisebol. Ele mais perdeu do que ganhou e se viu em uma terrível dívida com o corretor de apostas. Decidiu desviar fundos do banco em que trabalhava. Bem-vindo à Gate.

Foi só uma questão de tempo para que os auditores detectassem um problema e convocassem uma reunião. Criswell sabia que havia sido descoberto. Na noite anterior à auditoria, ele não pôde dormir. Resolveu seguir o caminho de Judas. Deixando para a esposa um bilhete sobre seu suicídio, ele saiu de Lexington, estacionou o carro e pôs uma arma na cabeça. Como não conseguiu puxar o gatilho, ele praticou dando um tiro do lado de fora da janela do carro. Pressionou a ponta do cano do revólver contra a testa e murmurou: "Vamos, puxe o gatilho, seu porqueira. É isso que você merece". Mas não conseguiu. O medo da possibilidade de ir para o inferno impediu-o de tirar a própria vida.

Finalmente, ao amanhecer, ele foi para casa, sentindo-se um fracassado. Sua esposa havia encontrado o bilhete e telefonado para a polícia. Ela abraçou-o. Os policiais algemaram-no e levaram-no. Ele foi, ao mesmo tempo, humilhado e libertado: humilhado por ser preso diante da família e de seus vizinhos, mas libertado das algemas da desconfiança. Ele não mais precisava mentir.

A caverna de Adulão de Whit Criswell foi uma cela de prisão. Nela, ele recobrou o juízo; voltou a ter sua fé. Ao ser solto, ele mergulhou no trabalho de uma igreja local, fazendo tudo o que precisava ser feito.

Você jamais saberá que Jesus é tudo de que você precisa até Jesus ser tudo o que você tem. Você está no deserto? Refugie-se na presença de Deus. Encontre consolo no povo de Deus.

Com o passar dos anos, ele foi incluído na equipe da congregação. Em 1998, foi convidado por outra igreja da região a servir como pastor sênior. Enquanto escrevo este livro, essa igreja é uma das igrejas que mais rapidamente crescem em Kentucky.

Outro Davi foi restaurado.

Você está no deserto? Vá arrastando-se até Deus como se arrastaria um fugitivo até uma caverna. Encontre refúgio na presença de Deus.[2]

Encontre consolo no povo de Deus. Junte-se a uma congregação de gente que apenas uma dádiva da graça separa da tragédia, do vício e do desastre. Busque comunhão na igreja de Adulão.

Refugie-se na presença de Deus. Encontre consolo no povo de Deus. Suas chaves para sobreviver no deserto. Faça isso e, quem sabe, no meio deste deserto você poderá escrever os salmos mais doces.

Capítulo 6

Doadores de sofrimento

O símbolo mais sagrado na cidade de Oklahoma, em Oklahoma, é uma árvore: um vasto olmo norte-americano de 80 anos que faz muita sombra. Turistas percorrem quilômetros para vê-lo. Pessoas posam para fotos debaixo dele. Arboristas cuidadosamente o protegem. Ele enfeita pôsteres e papéis de carta. Outras árvores ficam maiores, mais cheias, até mais verdes. Mas nenhuma recebe o mesmo carinho. A cidade valoriza a árvore não por sua aparência, mas por sua resistência.

Ela resistiu aos bombardeios sofridos por aquela cidade.

Timothy McVeigh estacionou seu caminhão-bomba a apenas alguns metros dela. Sua maldade matou 168 pessoas, feriu outras 850, destruiu o edifício federal Alfred P. Murrah e cobriu a árvore de escombros. Ninguém esperava que ela sobrevivesse. Ninguém, na verdade, parou para pensar na árvore coberta de pó e sem galhos.

Até que ela começou a brotar.

Brotos passavam espremidos por sua casca destruída; folhas verdes empurravam a fuligem cinzenta. A vida ressurgiu de um campo marcado pela morte. As pessoas perceberam. A árvore era um modelo da resiliência que as vítimas desejavam. Por isso elas deram um nome ao olmo: a Árvore Sobrevivente.[1]

Os Timothy McVeighs ainda abalam nossos mundos. Eles ainda, sem razão, inexplicavelmente nos mutilam e deixam cicatrizes. Queremos imitar a árvore — sobreviver ao mal, sobrepormo-nos à ruína. Mas como?

Davi pode nos dar algumas idéias. Quando Saul dá uma de McVeigh e entra no mundo de Davi, Davi se lança no deserto, onde encontra refúgio entre as cavernas próximas ao Mar Morto. Várias centenas de legalistas o seguem. O mesmo acontece com Saul. E, em duas cenas dramáticas no deserto, Davi exemplifica como transmitir graça à pessoa que não lhe dá outra coisa senão sofrimento.

Primeira cena. Saul faz sinal para que seus homens parem. Eles param. Três mil soldados param de marchar enquanto seu rei desce do cavalo e sobe a encosta da montanha.

Dá para fritar um ovo no chão da região de En-Gedi. Os raios de sol ferem como punhais o pescoço dos soldados. Lagartos alojam-se por trás das pedras. Escorpiões ficam na lama. E cobras, como Saul, procuram descanso na caverna.

Saul entra na caverna "para fazer suas necessidades. Davi e seus soldados estavam bem no fundo da caverna" (1 Samuel 24:3). Com os olhos embaçados por causa do sol do deserto, o rei não consegue perceber os vultos silenciosos que se alinham nas paredes.

Mas você não sabe que eles vêem o rei. Enquanto Saul atende ao chamado da natureza, inúmeros olhos arregalam-se. A mente desses homens voa e as mãos estendem-se para pegar lanças. Um golpe da espada levará a tirania de Saul ao fim e eles não terão mais de fugir. Mas Davi faz sinal para que seus homens se contenham. Ele esgueira-se pela parede, desembainha sua faca e corta não a carne, mas o manto de Saul. Davi então volta para o fundo da caverna.

Os homens de Davi não podem acreditar no que seu líder fez. Nem o próprio Davi. Contudo, seus sentimentos não refletem os de seus homens. Eles acham que ele fez muito pouco; ele acha que já fez coisa demais. Em vez de tripudiar, ele arrepende-se.

> Mas Davi sentiu bater-lhe o coração de remorso por ter cortado uma ponta do manto de Saul, e então disse a seus soldados: "Que o SENHOR me livre de fazer tal coisa a meu senhor, de erguer a mão contra ele, pois é o ungido do SENHOR" (24:5,6).

Saul sai da caverna e Davi logo o segue. Ele levanta a ponta de suas vestes e, com todas as letras, grita: "Eu poderia tê-lo matado, mas não o matei".

Saul ergue os olhos, espantado, e pergunta em voz alta: "Quando um homem encontra um inimigo e o deixa ir sem fazer-lhe mal?" (24:19).

Davi faz isso. Mais de uma vez.

Alguns capítulos adiante, Saul está, novamente, perseguindo Davi. Davi volta a bancar o esperto para o lado de Saul. Enquanto o acampamento do rei dorme, o atrevido Davi e um soldado esgueiram-se pelos soldados até que alcançam o rei, que roncava. O soldado implora: "Hoje Deus entregou o seu inimigo nas suas mãos. Agora deixe que eu crave a lança nele até o chão, com um só golpe; não precisarei de outro" (26:8).

Mas Davi não deixa. Em vez de tirar a vida de Saul, ele tira-lhe a lança e o jarro com água e foge do acampamento. A uma distância segura, ele acorda Saul e os soldados com um aviso: "Ele [o Senhor] te entregou nas minhas mãos hoje, mas eu não levantaria a mão contra o ungido do SENHOR" (26:23).

Mais uma vez, Davi poupa a vida de Saul.

Mais uma vez, Davi revela uma mente cheia de Deus. Quem domina seus pensamentos? "O SENHOR recompensa... o ungido do SENHOR... que o SENHOR também considere" (26:23-24).

Mais uma vez, pensamos nas coisas que promovem dor em nossa própria vida. Uma coisa é transmitir graça aos amigos, mas transmitir graça àqueles que nos causam sofrimento? Você conseguiria? Se passasse alguns minutos seguidos com o Darth Vader, o vilão de Guerra nas Estrelas, de seus dias, você conseguiria imitar Davi?

A vingança faz sua atenção se prender aos momentos mais feios da vida.

Talvez você pudesse. Algumas pessoas parecem ser agraciadas com glândulas de misericórdia. Elas escondem perdão, sem nunca guardar rancores ou revelar suas feridas. Para outros de nós (para a maioria de nós?) é difícil perdoar nossos Sauls.

Perdoamos os que nos ofendem uma vez, lembre-se. Repudiamos os que tomam nossa vaga no estacionamento, os que não honram compromissos e até os que batem carteiras.

Podemos passar batido pelos pequenos delitos, mas e os crimes capitais? Os que nos ofendem de novo? Os Sauls que levam nossa juventude, nossa aposentadoria ou nossa saúde?

Se um patife desses buscasse sombra em sua caverna ou estivesse dormindo aos seus pés... você faria o que Davi fez? Você conseguiria perdoar o canalha que o machucou?

Não conseguir fazer isso talvez seja fatal. "O ressentimento mata o insensato e a inveja destrói o tolo" (Jó 5:2).

A vingança faz sua atenção prender-se aos momentos mais feios da vida. A desforra faz seus olhos concentrarem-se em eventos dolorosos de seu passado. É para lá que você quer olhar? Contar e reviver suas feridas fará de você uma pessoa melhor? De forma alguma. Isso irá destruí-lo.

Estou me lembrando de uma velha comédia de costumes. Joe queixa-se com Jerry sobre o hábito irritante de um amigo comum. O rapaz bate com o dedo no peito de Joe enquanto fala, o que enerva Joe.

Os que gostam de destruir os inimigos
precisam de dois túmulos.

Por isso ele resolve se vingar. Ele mostra para Jerry uma garrafinha com uma mistura de nitroglicerina altamente explosiva amarrada a um barbante. Ele explica: "Vou usar isso aqui em volta do meu pescoço, deixando a garrafa pendurada bem no lugar onde ele fica batendo com o dedo. Da próxima vez em que puser o dedo no meu peito, ele vai pagar caro".

Nem de longe Joe passará, certo? Os que gostam de destruir os inimigos precisam de dois túmulos. "A ira se aloja no íntimo dos tolos" (Eclesiastes 7:9). Olho por olho passa a ser pescoço por pescoço e emprego por emprego e reputação por reputação. Quando isso pára? Pára quando uma pessoa imita a mente de Davi controlada por Deus.

Ele enfrentou Saul como enfrentou Golias — colocando-se diante de Deus ainda mais. Quando os soldados na caverna instigaram Davi a matar Saul, veja no que Davi estava pensando: "Que o SENHOR me livre de fazer tal coisa a meu senhor, de erguer a mão contra ele, pois é o ungido do SENHOR" (1 Samuel 24:6).

Quando gritou para Saul da entrada da caverna, "Davi inclinou-se, rosto em terra" (24:8). Depois reiterou sua convicção: "Não erguerei a mão contra meu senhor, pois ele é o ungido do SENHOR" (24:10).

Na segunda cena, durante o ataque ao acampamento de noite, Davi manteve sua convicção: "Quem pode levantar a mão contra o ungido do SENHOR e permanecer inocente?" (26:9).

Nessas duas cenas, contei em seis as vezes em que Davi chamou Saul de "o ungido do SENHOR". Você consegue pensar em outro termo que Davi poderia ter usado? *Desmancha-prazeres* e *miolo mole* vêm à minha mente. Mas não à mente de Davi. Ele não via Saul como o inimigo, mas como o ungido. Recusou-se a ver o homem que o fazia sofrer como algo menos que um filho de Deus. Davi não aprovou o comportamento de Saul; ele simplesmente reconheceu o dono de Saul — Deus. Davi filtrou o que via acerca de Saul usando a peneira do céu. O rei ainda pertencia a Deus, e isso deu esperança a Davi.

Alguns anos atrás, um rottweiler atacou nosso filhote de golden retriever em um canil. O animal desprezível pulou sua jaula e entrou na de Molly e quase a matou. Ele deixou-a com vários cortes e com a orelha pendurada. Meus sentimentos para com aquele vira-lata não eram nada parecidos com os de Davi. Se nos deixassem, os dois, em uma caverna, apenas um sairia vivo. Escrevi uma carta para o dono do cachorro, insistindo que ele o colocasse para dormir.

Mas quando mostrei a carta à dona do canil, ela pediu que eu reconsiderasse.

— O que aquele cachorro fez foi horrível, mas eu ainda o estou treinando. Não terminei meu trabalho ainda.

Deus diria o mesmo sobre o rottweiler que atacou você.

— O que ele fez foi inconcebível, inaceitável, imperdoável, mas não terminei meu trabalho ainda.

Seus inimigos ainda figuram no plano de Deus. O pulso deles é a prova: Deus não desistiu deles. Talvez eles estejam fora da vontade de Deus, mas não estão fora do alcance de Deus. Você honra Deus quando os vê, não como fracassos de Deus, mas como projetos de Deus.

Além disso, quem nos encarregou do serviço de vingança? Davi entendeu isso. Da entrada da caverna, ele declarou: "O SENHOR julgue entre mim e ti. Vingue ele os males que tens feito contra mim, mas não levantarei a mão contra ti... O SENHOR seja o juiz e nos julgue" (24:12,15).

Veja seus inimigos não como falhas de Deus, mas como projetos dele.

Deus ocupa o único assento na corte suprema do céu. Ele usa a beca e se nega a dividir o martelo. Por essa razão, Paulo escreveu: "Nunca procurem se vingar, mas deixem com Deus a ira, pois está escrito: 'Minha é a vingança; eu retribuirei', diz o Senhor" (Romanos 12:19).

A vingança tira Deus da equação. Os que fazem justiça pelas próprias mãos tomam o lugar de Deus. "Não tenho certeza de que o Senhor poderá cuidar disso. O Senhor pode castigar muito pouco ou devagar demais. Deixe esse assunto nas minhas mãos, obrigado."

É isso o que você quer dizer? Não foi assim com Jesus. Ninguém tinha uma noção mais clara do que era certo e errado do que o Filho perfeito de Deus. Não obstante, "quando sofria, não fazia ameaças, mas entregava-se àquele que julga com justiça" (1 Pedro 2:23).

Somente Deus determina sentenças exatas. Impomos castigos leves ou severos demais. Deus faz a justiça perfeita. Cabe a ele a vingança. Deixe seus inimigos nas mãos de Deus.

Ao fazer isso, você não estará endossando a má conduta deles. Você pode odiar o que alguém fez sem se deixar consumir pelo ódio. Perdoar não é justificar.

Perdoar também não é fingir. Davi não encobriu ou evitou o pecado de Saul. Ele tratou-o de forma direta. Ele não evitou o problema, mas evitou Saul. "[Saul] voltou para casa, mas Davi e seus soldados foram para a fortaleza" (1 Samuel 24:22).

Faça o mesmo. Transmita graça, mas, se for necessário, mantenha distância. Você pode perdoar o marido abusivo sem ter de viver com ele.

Perdão é optar por ver o ofensor com olhos diferentes.

Seja rápido em mostrar compaixão pelo pastor imoral. Mas não tenha pressa em dar-lhe um púlpito. A sociedade pode conceder graça e condenações ao mesmo tempo. Dê uma segunda chance àquele que molesta crianças, mas mantenha-o longe de parquinhos de diversões.

Perdão não é loucura.

Perdão é, em sua essência, optar por ver o ofensor com olhos diferentes. Quando alguns missionários morávios levaram a mensagem de Deus aos esquimós, eles sofreram para encontrar uma palavra para perdão na língua nativa. Por fim, chegaram a essa difícil opção de 24 letras: *issumagijoujungnainermik*. Esta formidável junção de letras é literalmente traduzida como "não há mais como pensar nisso".[2]

Perdoar é seguir em frente, não pensar mais na ofensa. Você não justifica, endossa ou aceita o ofensor. Você simplesmente coloca o que pensa sobre ele no caminho que leva ao céu. Você vê seu inimigo como filho de Deus e a vingança como algo que cabe a Deus.

A propósito, como nós, recipientes da graça, podemos fazer menos que isso? Será que temos coragem de pedir graça a Deus quando nos recusamos a transmiti-la? Esse é um grande tema de discussão nas Escrituras. Jesus era duro com os pecadores que se recusavam a perdoar outros pecadores. Você se lembra da história que Jesus contou sobre o servo cuja dívida de milhões acabara de ser perdoada que se recusou a perdoar uma dívida de alguns reais? Ele provocou a ira de Deus: "Servo mau, cancelei toda a sua dívida... Você não devia ter tido misericórdia... como eu tive de você?" (Mateus 18:32,33).

Em suma, transmitimos graça porque recebemos graça. Sobrevivemos porque imitamos a Árvore Sobrevivente. Nossas raízes vão além da área que foi atingida por bombardeios. Usamos a umidade que vai além da explosão. Cavamos cada vez mais fundo até extrairmos umidade da misericórdia de Deus.

Nós, como Saul, recebemos graça.

Nós, como Davi, podemos transmiti-la gratuitamente.

Capítulo 7

Comportamento bárbaro

Ernest Gordon geme na cela dos condenados à morte de Chungkai, em Burma. Ele ouve os lamentos dos que estão agonizando e sente o mau cheiro dos mortos. O calor impiedoso da selva queima sua pele e seca sua garganta. Se ele tivesse força, poderia envolver sua coxa esquelética com uma mão. Mas ele não tem energia nem interesse. A difteria levou ambas as coisas; ele não pode andar; nem consegue sentir o corpo. Divide um beliche com moscas e percevejos e espera uma morte solitária em um campo para prisioneiros de guerra no Japão.

Como a guerra foi dura com ele! Alistou-se para a 2ª Guerra Mundial com seus vinte e poucos anos, um robusto escocês das regiões montanhosas, trajando as cores típicas da Brigada Sutherland. Mas então vieram a captura pelos japoneses, meses de trabalho pesado na selva, surras diárias e a morte lenta provocada pela fome. A Escócia parece distante para sempre. A civilidade, ainda mais.

Os soldados das Forças Aliadas comportam-se como bárbaros, furtando uns dos outros, roubando de colegas que estão quase morrendo, lutando por restos de comida. Os encarregados da cozinha racionam os alimentos para que tenham mais para eles mesmos. A lei da selva tornou-se a lei do campo.

Gordon está feliz em dar adeus. Morrer por estar doente é algo que supera a vida em Chungkai. Mas então algo maravilhoso acontece. Dois novos prisioneiros, ainda animados pela esperança, são transferidos para o campo. Embora também estejam doentes e fracos, eles atentam para um código superior. Compartilham suas refeições escassas e voluntariam-se para trabalhos extras. Limpam as úlceras de Gordon e massageiam-lhe as pernas atrofiadas. Dão nele o primeiro banho em seis semanas. A força de Gordon aos poucos volta e, com ela, sua dignidade.

A bondade desses homens passa a ser contagiante, e Gordon contrai essa doença. Ele começa a tratar dos doentes e a dividir suas porções de comida. Ele até abre mão do pouco que tem. Outros soldados fazem o mesmo. Com o passar do tempo, o clima do campo acalma-se e clareia. A renúncia toma o lugar do egoísmo. Soldados realizam cultos de adoração e estudos bíblicos.

Vinte anos depois, quando Gordon passou a servir como capelão da Universidade de Princeton, ele descreveu a transformação com as seguintes palavras:

> A morte ainda estava com a gente — sem sombra de dúvida. Mas fomos, aos poucos, sendo libertados de suas garras destrutivas... Egoísmo, ódio e orgulho eram sentimentos contrários à vida. Amor... abnegação... e fé, por outro lado, eram a essência da vida... dádivas de Deus para os homens... A última palavra não mais era da morte em Chungkai.[1]

Egoísmo, ódio e orgulho — você não precisa ir a um campo de prisioneiros de guerra para encontrá-los. Um albergue de estudantes é um bom exemplo. Assim como a sala de reunião da diretoria de uma empresa ou o quarto de um casal ou um local afastado de um município. O código da selva está vivo e presente. *Cada um por si. Agarre o que puder e guarde tudo o que agarrar. A sobrevivência dos mais aptos.*

O código contamina seu mundo? Os pronomes possessivos pessoais dominam a linguagem de seu círculo social? *Minha* carreira, *meus* sonhos, *minhas* coisas. Quero que as coisas sejam do *meu* jeito no *meu* tempo. Se isso acontece, você sabe como esse gigante pode ser cruel. Contudo, de vez em quando, um diamante brilha no meio da lama. Um camarada reparte coisas, um soldado se preocupa, ou Abigail, a maravilhosa Abigail, aparece em seu caminho.

Ela viveu na época de Davi e foi casada com Nabal, cujo nome significa "tolo" em hebraico. A vida de Nabal fez jus à definição de seu nome.

Pense nele como o Saddam Hussein da região. Ele tinha gados e ovelhas e se orgulhava de ambos. Mantinha a adega cheia, a vida amorosa a pleno vapor e rodava por aí em uma enorme limusine. Ocupava lugares nas primeiras filas durante as atividades esportivas, voava em um jato último modelo e estava sempre dando um pulinho em Las Vegas para passar um final de semana em grande estilo. Meia dúzia de seguranças grandalhões o acompanhavam onde quer que fosse.

Nabal precisava de proteção. Ele era "rude e mau — um verdadeiro pitbull, descendente de Calebe... Ele é um homem tão mau que ninguém consegue conversar com ele" (1 Samuel 25:3, 17).[2] Aprendeu a lidar com pessoas no zoológico local. Nunca conheceu uma pessoa com quem não pudesse se irritar ou um relacionamento que não pudesse estragar. O mundo de Nabal girava em torno de uma pessoa — Nabal. Ele não devia nada a ninguém e ria da idéia de dividir coisas com quem quer que fosse.

Principalmente com Davi.

Davi fazia o papel de Robin Hood no deserto. Ele e seus 600 soldados protegiam os fazendeiros e pastores contra bandidos e beduínos. Israel não tinha polícia rodoviária ou força policial, por isso Davi e seus homens valentes supriam uma necessidade específica no campo. Eles fizeram a proteção com tanta eficiência que levaram um dos pastores de Nabal a dizer: "Dia e noite eles eram como um muro ao nosso redor, durante todo o tempo em que estivemos com eles cuidando de nossas ovelhas" (25:16).

Davi e Nabal coabitavam o mesmo território com a harmonia de dois touros no mesmo pasto. Ambos eram fortes e cabeças-duras. Era apenas uma questão de tempo para que eles entrassem em conflito.

Os problemas começaram a ferver depois da colheita. Com as ovelhas tosquiadas e o feno recolhido, era hora de assar o pão, assar o cordeiro e derramar o vinho; de dar um tempo aos arados e rebanhos e desfrutar do fruto do trabalho. Pelo que entendemos na história, os homens de Nabal estavam fazendo exatamente isso.

Davi fica sabendo da festança e acha que seus homens merecem um convite. Afinal, eles protegeram as colheitas e ovelhas do homem, patrulharam as colinas e defenderam os vales. Eles merecem um pouco da generosidade. Davi envia dez homens a Nabal com o seguinte pedido: "Estamos vindo em época de festa. Por favor, dê a nós, seus servos, e a seu filho Davi o que puder" (25:8).

Rude, Nabal zomba da idéia:

> Quem é Davi? Quem é esse filho de Jessé? Hoje em dia muitos servos estão fugindo de seus senhores. Por que deveria eu pegar meu pão e minha água e a carne do gado que abati para meus tosquiadores, e dá-los a homens que vêm não se sabe de onde? (25:10,11).

Nabal finge nunca ter ouvido falar de Davi, equiparando-o a servos fugitivos e vagabundos. Tal insolência enfurece os mensageiros, que dão as costas e voltam às pressas para dar o relatório completo a Davi.

Davi não precisa ouvir a notícia duas vezes. Ordena aos homens que formem um bando armado. Ou, mais precisamente: "Peguem suas espadas!" (25:12).

Quatrocentos homens reúnem-se e partem. Olhos fixos. Narinas dilatadas. Lábios resmungando. Testosterona à flor da pele. Davi e suas tropas vêm com tudo contra Nabal, o canalha, que, distraidamente, bebe cerveja e come churrasco com seus companheiros.

Gestos de paz trazem mais
bem do que alabardas.

A estrada estronda enquanto Davi resmunga: "Que Deus castigue Davi, e que o faça com muita severidade, caso até a manhã eu deixe vivo um só do sexo masculino de todos os que pertencem a Nabal!" (25:22).

Espere aí. É o bangue-bangue no Oriente Antigo!

Então, de repente, surge a beleza. Uma margarida ergue-se no deserto; um cisne pousa no matadouro; um ligeiro perfume paira pelo vestiário masculino. Abigail, esposa de Nabal, aparece no caminho. Enquanto ele é bruto e mesquinho, ela é "inteligente e bonita" (25:3).

Inteligência *e* beleza. Abigail põe ambas para funcionar. Quando fica sabendo da resposta grosseira de Nabal, ela põe-se em ação. Sem falar com o marido, ela ajunta presentes e corre para interceptar Davi. Enquanto Davi e seus homens descem um desfiladeiro, ela assumiu sua posição, munida de "200 pães, duas vasilhas de couro cheias de vinho, cinco ovelhas preparadas, cinco medidas de grãos torrados, 100 bolos de uvas passas e 200 bolos de figos prensados — e os carregou em jumentos" (25:18).

Quatrocentos homens puxam as rédeas dos cavalos. Alguns ficam boquiabertos diante da comida; outros ficam bobos diante da mulher. Ela é bonita e cozinha bem, uma combinação que detém qualquer exército. (Imagine uma loira de fazer um homem virar o pescoço aparecendo no campo de treinamento de recrutas com um caminhão cheio de hambúrgueres e sorvete.)

Abigail não é boba. Ela sabe da importância do momento. Ela aparece como a última barreira entre sua família e a morte certa. Caindo aos pés de Davi, ela faz um apelo digno de um parágrafo nas Escrituras: "Meu senhor, a culpa é toda minha. Por favor, permita que tua serva te fale; ouve o que ela tem a dizer" (25:24).

Ela não defende Nabal, mas concorda que ele é um canalha. Ela não pede justiça, mas perdão, aceitando a culpa quando não merece ser culpada de nada. "Esquece, eu te suplico, a ofensa de tua serva" (25:28). Ela oferece os presentes de sua casa e insiste para que Davi deixe Nabal nas mãos de Deus e evite o peso morto do remorso.

Suas palavras chegam a Davi assim como o sol de verão ao sorvete. Ele se derrete.

> Bendito seja o SENHOR, o Deus de Israel, que hoje a enviou ao meu encontro... pelo seu bom senso... Se você não tivesse vindo depressa encontrar-me, nem um só ser do sexo masculino pertencente a Nabal teria sido deixado vivo... Ouvi o que você disse e atenderei ao seu pedido (25:32-35).

Davi volta para o acampamento. Abigail volta para Nabal. Uma vez que o encontra extremamente bêbado para conversar, ela espera até a manhã seguinte para descrever-lhe o quão perto Davi chegou do acampamento e como Nabal esteve perto da morte. "De manhã... ele sofreu um ataque e ficou paralisado como uma pedra. Cerca de dez dias depois, o SENHOR feriu Nabal e ele morreu" (25:37-38).

Quando fica sabendo da morte de Nabal e da súbita disponibilidade de Abigail, Davi agradece a Deus pela primeira notícia e se aproveita da segunda. Não conseguindo tirar da cabeça a lembrança da linda mulher no meio da estrada, ele a pede em casamento e ela aceita. Davi consegue uma nova esposa; Abigail, um novo lar. E, com isso, temos um importante princípio: a beleza pode vencer a barbárie.

A mansidão salvou a pátria naquele dia. A delicadeza de Abigail reverteu um rio de raiva. A humildade tem tal poder. Desculpas podem desarmar discussões. A contrição pode neutralizar a raiva. Gestos de paz trazem mais bem do que alabardas. "A língua branda quebra até ossos" (Provérbios 25:15).

Abigail ensina muita coisa: o poder contagiante da bondade; a força de um bom coração. Sua maior lição, no entanto, é tirar nossos olhos de sua beleza e colocá-los na de outra pessoa. Ela tira nossos pensamentos de um caminho rural e os leva para uma cruz em Jerusalém. Abigail nunca conheceu Jesus. Ela viveu 1.000 anos antes do sacrifício de Jesus. Não obstante, sua história prefigura a vida de Jesus.

Abigail colocou-se entre Davi e Nabal. Jesus colocou-se entre Deus e nós. Abigail ofereceu-se para ser castigada pelos pecados de Nabal.

A língua branda quebra até ossos (Provérbios 25:15).

Jesus permitiu que o céu o castigasse pelos seus e meus pecados. Abigail desviou a raiva de Davi. Cristo não lhe serviu de proteção contra a raiva de Deus?

Ele era nosso "mediador, entre Deus e os homens; o homem Cristo Jesus, o qual se entregou a si mesmo como resgate por todos" (1 Timóteo 2:5-6). Quem é o mediador senão aquele que se coloca no meio de alguma coisa? E o que Cristo fez senão colocar-se entre a raiva de Deus e nosso castigo? Cristo interceptou a ira do céu.

Algo um pouco parecido aconteceu no campo em Chungkai. Certa noite, depois da inspeção, um guarda japonês anunciou que faltava uma pá. O oficial manteve as Forças Aliadas em formação, insistindo que alguém havia roubado a pá.

Cristo viveu a vida que não poderíamos viver e levou o castigo que não poderíamos levar para oferecer a esperança a que não podemos resistir.

Gritando em um inglês mal falado, ele exigiu que o culpado desse um passo à frente. Pôs seu rifle no ombro, pronto para matar um prisioneiro por vez até que a confissão fosse feita.

Um soldado escocês saiu da formação, ficou firmemente em posição de sentido e disse: "Fui eu". O oficial descarregou sua raiva e bateu no homem até ele morrer. Quando o guarda finalmente se cansou, os prisioneiros pegaram o corpo do homem e suas ferramentas e voltaram para o campo. Só então as pás foram recontadas. O soldado japonês cometera um erro. No final das contas, nenhuma pá estava faltando.[3]

Quem faz isso? Que tipo de pessoa assumiria a culpa de algo que não fez?

Quando você encontrar tal substantivo, associe-o a Jesus. "O SENHOR fez cair sobre ele a iniqüidade de todos nós" (Isaías 53:6). Deus tratou seu Filho inocente como a raça humana culpada, seu Santo como um canalha mentiroso, sua Abigail como um Nabal.

Cristo viveu a vida que não poderíamos viver e levou o castigo que não poderíamos levar para oferecer a esperança a que não podemos resistir. Seu sacrifício pede que façamos essa pergunta: se ele tanto nos amou, não podemos amar uns aos outros? Tendo sido perdoados, não podemos perdoar? Tendo festejado à mesa da graça, não podemos compartilhar algumas migalhas de pão?

"Amados, visto que Deus assim nos amou, nós também devemos amar uns aos outros" (1 João 4:11).

Você acha seu mundo de Nabal difícil de suportar? Então faça o que Davi fez: pare de encarar Nabal. Volva seus olhos para Cristo. Olhe mais para o Mediador e menos para os encrenqueiros.

"Não se deixem vencer pelo mal, mas vençam o mal com o bem" (Romanos 12:21). Um prisioneiro pode mudar um campo. Uma Abigail pode salvar uma família. Seja a beleza em meio às suas feras e veja o que acontece.

Capítulo 8

Revólveres superdestrutivos

Golias possui um revólver superdestrutivo: um magnum .338 feito sob encomenda, de alcance ilimitado, com cano canelado e mira certeira para o coração. Ele não cospe balas, mas tristeza. Não leva vidas, mas sorrisos. Não inflige feridas na carne, mas feridas na fé.

Você já foi acertado?

Se algo o impede de acertar o passo, você já foi atingido. Se parece que você não conseguirá superar a primeira etapa de alguma coisa (ou sair da cama), você já foi atingido. Você dá um passo para frente e dois para trás.

Relacionamentos amargos.

O céu escurece e fica revolto.

Suas noites afrontam o nascer do sol.

Você desmoronou.

Os problemas parecem enormes, você se sente prestes a perder a última batalha.

Davi sente-se assim. Saul vem levando a melhor sobre Davi, deixando-o dormir em cavernas, espreitando atrás de árvores. Seiscentos soldados dependem de Davi como líder e provedor. Esses 600 homens têm esposas e filhos. Davi tem duas esposas (o suficiente para garantir tensão em sua tenda).

Ele está fugindo de um rei desvairado; escondendo-se em montanhas; liderando um bando desordenado de soldados; alimentando mais de 1.000 bocas.

O revólver superdestrutivo encontra seu alvo. Veja o que Davi diz: "Algum dia serei morto por Saul. É melhor fugir para a terra dos filisteus. Assim Saul desistirá de procurar-me por todo o Israel e escaparei dele" (1 Samuel 27:1).

Sem esperança e, principalmente, sem Deus, Davi concentra-se em Saul. Ele pendura o pôster de Saul na parede e torna a ouvir suas mensagens de voz. Davi afunda em seu medo até que seu medo o domina: "Serei morto.".

Ele tem bom senso. Em dias melhores e em momentos mais saudáveis, Davi era exemplo da terapia do céu para dias difíceis. A primeira vez em que enfrentou os filisteus no deserto, "ele perguntou ao SENHOR" (23:2). Quando se sentiu pequeno diante de seu inimigo, "Davi consultou o SENHOR" (23:4). Quando foi atacado pelos amalequitas, "ele perguntou ao SENHOR" (30:8). Confuso acerca do que fazer depois da morte de Saul, "Davi perguntou ao SENHOR" (2 Samuel 2:1). Quando coroado rei e perseguido pelos filisteus, "Davi perguntou ao SENHOR" (5:19). Davi derrotou-os, mas eles armaram outro ataque, então "Davi consultou o SENHOR" (5:23). Davi tinha o número do telefone de Deus armazenado para discagem rápida.

Confuso? Davi conversou com Deus. Desafiado? Ele conversou com Deus. Com medo? Ele conversou com Deus... na maior parte do tempo. Mas não dessa vez. Nessa ocasião, Davi conversa consigo mesmo. Ele nem busca a orientação de seus conselheiros. Quando Saul atacou pela primeira vez, Davi recorreu a Samuel. Como os ataques continuaram, Davi pediu conselhos a Jônatas. Quando se viu sem armas e sem pão, ele procurou refúgio entre os sacerdotes de Nobe. Nesse caso, no entanto, Davi consulta Davi.

Pobre escolha. Veja o conselho que ele dá para si mesmo: "Algum dia serei morto por Saul" (1 Samuel 27:1).

Não, você não será, Davi. Você não se lembra do azeite dourado de Samuel em seu rosto? Deus ungiu-o. Você não se lembra da promessa de Deus por meio de Jônatas? "Você será rei de Israel" (23:17). Você se esqueceu da promessa que Deus lhe fez por meio de Abigail? "Quando o

SENHOR tiver feito a meu senhor todo o bem que prometeu e te tiver nomeado líder sobre Israel..." (25:30). Deus até garantiu sua segurança por meio de Saul. "Tenho certeza de que você será rei" (24:20).

Mas, em meio à onda de cansaço, Davi pressiona a tecla "pausa" de seus pensamentos bons e pensa:

> Algum dia serei morto por Saul. É melhor fugir para a terra dos filisteus. Saul desistirá de procurar-me por todo o Israel e escaparei dele (27:1).

Assim Davi parte, e Saul suspende a caça. Davi bandeia-se para as mãos do inimigo. Ele leva seus homens para a terra dos ídolos e falsos deuses e levanta sua tenda no quintal de Golias. Ele cai em cheio no pasto do próprio Satanás.

A princípio, Davi sente alívio. Saul desiste da perseguição. Os homens de Davi podem dormir com os dois olhos fechados. As crianças podem ir para o jardim de infância e as esposas podem desfazer as malas. Esconder-se com o inimigo traz um alívio temporário.

Nem sempre?

Pare de resistir às bebidas alcoólicas e você rirá — por um tempo.

Troque de cônjuge e você relaxará — por um tempo.

Entregue-se à pornografia e você se entreterá — por um tempo.

Mas depois a tentação crava suas garras. Ondas de culpa arrebentam. A solidão do rompimento chega atropelando.

Esconder-se com o inimigo
traz um alívio temporário.

"Há caminho que parece certo ao homem, mas no final conduz à morte. Mesmo no riso o coração pode sofrer, e a alegria pode terminar em tristeza" (Provérbios 14:12,13).

Aquele "amém" que você acaba de ouvir veio de Davi lá no alto. Ele pode lhe dizer. Veja a terceira estrofe de seu cântico do tombo. No primeiro versículo, "ele se cansou". Por isso "fugiu". E, para sobreviver no campo do inimigo, Davi vendeu-se.

Ele chegou a um acordo com Aquis, rei de Gate: "Dá-me um lugar numa das cidades desta terra onde eu possa viver. Por que este *teu servo* viveria contigo na cidade real?" (1 Samuel 27:5, grifo meu).

Observe o título que Davi dá para si mesmo: o "servo" do rei inimigo. O filho antes orgulhoso de Israel e conquistador de Golias levanta um brinde ao inimigo de sua família.

Aquis aceita o acordo. Ele dá para Davi uma aldeia, Ziclague, e pede apenas que Davi se volte contra seu próprio povo e o extermine. Até onde Aquis sabe, Davi faz isso. Mas Davi, na verdade, assalta os inimigos dos hebreus:

> Ele e seus soldados atacavam os gesuritas, os gersitas e os amalequitas... Quando Davi atacava a região, não poupava homens nem mulheres, e tomava ovelhas, bois, jumentos, camelos e roupas. Depois retornava a Aquis (27:8,9).

Não é a melhor hora de Davi. Ele mente para o rei filisteu e encobre sua fraude derramando sangue. Continua mentindo por 16 meses. Não existem salmos dessa época. Sua harpa está em silêncio. O revés silencia o menestrel.

As coisas pioram antes de melhorarem.

Os filisteus decidem atacar o rei Saul. Davi e seus homens optam por trocar de lado e se juntam à oposição. Imagine os fuzileiros navais norte-americanos juntando-se aos nazistas. Eles viajam três dias para chegar ao campo de batalha, são rejeitados e viajam três dias de volta para casa.

"Os comandantes filisteus iraram-se contra ele e disseram: '...Ele não deve ir para a guerra conosco, senão se tornará nosso adversário durante o combate'" (29:4).

Davi conduz seus homens indesejados de volta para Ziclague e acaba por encontrar a aldeia toda incendiada. Os amalequitas destruíram-na e seqüestraram todas as esposas, filhos e filhas. Quando Davi e seus homens vêem a devastação, eles choram até "não terem mais forças" (30:4).

Rejeitados pelos filisteus. Saqueados pelos amalequitas. Sem terra pela qual lutar. Sem família para recebê-los na volta para casa. Será que as coisas podem piorar? Podem. Ódio brilha nos olhos dos soldados. Os homens de Davi começam a olhar para as pedras. "Os homens falavam em apedrejá-lo; todos estavam amargurados" (30:6).

Temos de perguntar para nós mesmos: Davi está se arrependendo de sua decisão? Desejando dias mais simples no deserto? Os bons e velhos tempos na caverna?

O modo como lidamos com nossos momentos difíceis permanece conosco por um bom tempo.

Ali não havia a rejeição dos filisteus nem os ataques dos amalequitas. Seus homens amavam-no. Suas esposas estavam com ele.

Agora, nas ruínas de Ziclague com homens escolhendo pedras para apedrejá-lo, ele arrepende-se da escolha de sair e se vender que ele fez sem orar?

Tempos de dificuldades: local de teste das más decisões, a incubadora para mudanças erradas, a linha de montagem de atos arrependidos. O modo como lidamos com nossos momentos difíceis permanece conosco por um bom tempo.

Como você lida com os seus? Quando a esperança vai embora no último trem e a alegria não é nada senão o nome da menina do outro lado da rua... quando você está cansado de tentar, cansado de perdoar, cansado de semanas difíceis ou de gente teimosa... como você lida com seus dias negros?

Com um frasco de remédio ou uma garrafa de uísque? Com uma hora no bar, um dia no spa ou uma semana no litoral? Muitos optam por tais tratamentos. Tantos desses tratamentos, na verdade, revigoram a vida triste. Mas será? Ninguém nega que ajudam por um tempo, mas e a longo prazo? Eles atenuam a dor, mas será que a removem?

Ou somos como as ovelhas que pularam de um penhasco na Turquia? Quem sabe por que a primeira pulou a cerca. Ainda mais estranho são as outras 1.500 que seguiram a primeira, cada uma pulando do mesmo lugar. Os primeiros 450 animais morreram. Os 1.000 que seguiram só sobreviveram porque a pilha de corpos amorteceu a queda.[1]

Nós, como ovelhas, seguimos uns aos outros à beira do penhasco, mergulhando de cabeça em bares, farras e camas. Como Davi, acabamos em Gate e descobrimos que Gate não tem nenhuma solução.

Existe uma solução? Na verdade, existe. Fazer certo aquilo que Davi fez errado.

Ele não orou. Faça o contrário: *seja rápido para orar*. Pare de conversar consigo mesmo. Converse com Cristo, que convida: "Venham a mim, todos os que estão cansados e sobrecarregados, e eu lhes darei descanso" (Mateus 11:28).

Deus, que nunca se abate, nunca se cansa de seus dias para baixo.

Davi negligenciou o bom conselho. Aprenda com o erro dele. Da próxima vez em que você perder a vontade de continuar, *procure um bom conselho*.

Você não vai querer. Pessoas que vivem para baixo gostam de pessoas que vivem para baixo. Pessoas que magoam andam com pessoas que magoam. Gostamos daqueles que se compadecem e evitamos aqueles que corrigem. Contudo, é de correção e direção que precisamos.

Descobri a importância de um bom conselho em um meio triatlo. Depois de nadar dois quilômetros e pedalar 90 quilômetros de bicicleta, não me restava muita energia para os 21 quilômetros de corrida. Nem para o companheiro que corria ao meu lado. Perguntei-lhe como ele estava se saindo e logo me arrependi de ter feito a pergunta.

— Isso é uma droga. Participar desta corrida foi a decisão mais idiota que tomei.

Ele tinha mais reclamações do que um contribuinte da Receita Federal. Que resposta dei para ele?

— Adeus.

Eu sabia que se ouvisse por muito tempo, começaria a concordar com ele.

Alcancei uma vovó de 66 anos. Seu tom era exatamente o oposto.

— Você vai terminar — ela incentivou. — Está quente, mas, pelo menos, não está chovendo. Um passo de cada vez... Não se esqueça de se hidratar... Fique por perto.

Corri ao lado dela até meu coração ficar acelerado e minhas pernas ficarem doendo. Por fim, tive de diminuir o passo.

— Não tem problema — ela disse, acenando enquanto continuava em frente.

Qual dos dois descreve o conselho que você procura? "Os planos fracassam por falta de conselho, mas são bem-sucedidos quando há muitos conselheiros" (Provérbios 15:22).

Seja rápido para orar, procure um bom conselho e não desista.

Não cometa o erro de Florence Chadwick. Em 1952, ela tentou nadar nas águas geladas do oceano entre a ilha Catalina e a costa da Califórnia. Ela nadou com um tempo nublado e o mar agitado por 15 horas. Seus músculos começaram a ter cãibras e sua determinação diminuiu.

Seja rápido para orar, procure um bom conselho e não desista.

Ela pediu para ser tirada da água, mas sua mãe, que estava em um barco ao lado, insistiu para que ela não desistisse. Ela continuou tentando, mas ficou exausta e parou de nadar. O grupo de apoio tirou-a da água e colocou-a no barco. Eles remaram mais alguns minutos, a neblina desapareceu e ela descobriu que a costa estava a menos de 800 metros.

— Tudo o que eu conseguia ver era o nevoeiro — ela explicou em uma coletiva de imprensa. — Acho que, se tivesse visto a costa, eu teria chegado lá.[2]

Dê uma boa olhada na costa que o espera. Não se deixe enganar pelo nevoeiro do contratempo. A linha de chegada pode estar a apenas algumas braçadas. Talvez Deus esteja, nesse momento, levantando a mão para fazer um sinal para Gabriel pegar a trombeta.

Dê uma boa olhada na costa que o espera. Não se deixe enganar pelo nevoeiro do contratempo. A linha de chegada pode estar a apenas algumas braçadas.

Os anjos talvez estejam se reunindo, os santos se juntando, os demônios tremendo. Fique aí! Fique na água. Continue na competição. Transmita graça, mais uma vez. Seja generoso, mais uma vez. Dê mais uma aula, encoraje mais uma alma, dê mais uma braçada.

Davi fez isso. Bem ali, em meio às ruínas em brasa, ele encontrou força. Depois de 16 meses em Gate. Depois da rejeição dos filisteus, do ataque dos amalequitas e da revolta de seus homens, ele lembrou o que fazer. "Davi, porém, fortaleceu-se no SENHOR, o seu Deus" (1 Samuel 30:6).

É bom tê-lo de volta, Davi. Sentimos sua falta enquanto você estava longe.

Capítulo 9

A última gota

Recentemente vi uma mulher andando com um cachorro preso à coleira. Mude isso. Vi uma mulher *puxando* um cachorro *com* uma coleira. O dia estava quente, terrivelmente quente. O cachorro parou, de todo. Ele caiu, de barriga para baixo, na grama molhada, trocando a calçada que estava pegando fogo por um gramado fresco.

A mulher puxava e puxava. Teria tido mais sucesso se estivesse puxando um trailer estacionado.

A idéia de levantar e caminhar havia sido abandonada pelo cão, que permanecia esticado no chão.

Ele não foi o último a fazer isso. Você já atingiu seu ponto limite?

A culpa é do seu chefe. "Precisamos que você aceite *mais um* caso."

Do seu cônjuge. "Vou chegar tarde *mais uma* noite nesta semana."

De seus pais. "Tenho *mais um* serviço para você."

De seu amigo. "Preciso só de *mais um* favor."

O problema? Você cuidou, tolerou, fez, perdoou e aceitou até não restar mais nenhum "mais um" em você. Você é um filhotinho cansado. Caiu para valer. *Quem se importa com o que os vizinhos pensam. Quem se importa com o que o Mestre pensa. Que eles puxem a coleira que quiserem; não estou dando nem mais um passo.*

Mas, ao contrário do cachorro, você não cai na grama. Se for como os homens de Davi, você cai no ribeiro de Besor.

Não se sinta mal se você nunca ouviu falar do lugar. A maioria nunca ouviu; contudo, mais pessoas precisam conhecê-lo. A narrativa sobre o ribeiro de Besor merece um lugar na prateleira da biblioteca dos esgotados. Ela fala palavras doces ao coração cansado.

A história surge das ruínas de Ziclague. Como vimos, Davi e seus 600 soldados voltam da guerra contra os filisteus e encontram a destruição total. Um bando de invasores amalequitas passou pela aldeia, saqueou-a e levou as mulheres e crianças como reféns. A dor dos homens se converte em raiva, não contra os amalequitas, mas contra Davi. Afinal, não foi ele que os levou para a batalha? Não foi ele que deixou as mulheres e crianças sem proteção? Não é ele que leva a culpa? Então ele precisa morrer. Assim, eles começam a pegar pedras.

O que mais é novo? Davi está ficando acostumado com tal tratamento. Sua família ignorou-o. Saul ficou com raiva dele. E agora o exército de Davi, que, se você se lembra, o procurou (e não o contrário) se voltou contra ele. Davi é um psicopata em desenvolvimento, rejeitado por todo círculo social importante em sua vida. Esse talvez fosse seu pior momento.

Mas ele o transforma em um dos melhores.

Enquanto 600 homens alimentam sua raiva, Davi busca seu Deus. "Davi, porém, fortaleceu-se no SENHOR, no seu Deus" (1 Samuel 30:6).

Como é essencial que aprendamos a fazer o mesmo! Sistemas de apoio nem sempre apóiam. Amigos nem sempre são amigos. Pastores podem desviar-se do essencial e as igrejas perdem o contato. Quando ninguém pode ajudar, temos de fazer o que Davi faz aqui. Ele se volta para Deus.

"Devo perseguir esse bando de invasores? Irei alcançá-los?"

"Persiga-os; é certo que você os alcançará e conseguirá libertar os prisioneiros" (30:8).

(Eu costumava acreditar que somente os santos podiam conversar assim com Deus. Estou começando a achar que Deus conversa deste modo com qualquer pessoa e que santos são os que aceitam sua oferta.)

Recém-comissionado, Davi redireciona a raiva de seus homens

para o inimigo. Eles começam a perseguir os amalequitas. Lembre-se do cansaço dos homens. Eles ainda trazem a poeira da estrada depois de uma longa campanha e não sufocaram totalmente a raiva que sentem de Davi. Eles não conhecem o esconderijo dos amalequitas, e, se não fosse por amor aos seus entes queridos, talvez desistissem.

Na verdade, 200 desistem. O exército chega a um ribeiro chamado Besor e eles descem dos cavalos. Os soldados entram no riacho e jogam água no rosto, afundam os dedos dos pés na lama fria e se esticam na grama. Ouvindo a ordem de que sigam em frente, 200 preferem descansar. "Continuem sem nós", eles dizem.

Até que ponto uma pessoa precisa ficar cansada para abandonar a busca de sua própria família?

A igreja tem seu quórum de tais pessoas. Pessoas boas. Pessoas tementes a Deus. Há apenas horas ou anos, elas marchavam com muita determinação. Mas agora a fadiga as consome. Elas estão exaustas. Tão esgotadas e cansadas que não conseguem reunir forças para salvar os do mesmo sangue. A idade avançada roubou-lhes o ar. Ou talvez tenha sido uma série de derrotas de tirar o fôlego. O divórcio pode levá-lo ao ribeiro. O vício também. Seja qual for a razão, a igreja tem sua cota de pessoas que simplesmente se sentam e descansam.

E a igreja precisa decidir. O que fazemos com as pessoas que estão no ribeiro de Besor? Devemos repreendê-las? Devemos humilhá-las? Devemos dar-lhes um descanso mas contar os minutos? Ou fazemos o que Davi fez? Davi deixou que ficassem.

E a igreja precisa decidir. O que fazemos com as pessoas que estão no ribeiro de Besor?

Ele e os 400 guerreiros restantes recomeçam a perseguição. Eles se precipitam cada vez mais, ficando mais desanimados a cada duna de areia pela qual passam. Os amalequitas estão muito à frente e não deixaram pistas. Mas, então, Davi tira a sorte grande. "Encontraram um egípcio no campo e o trouxeram a Davi. Deram-lhe água e comida" (30:11).

O egípcio é um servo inválido que pesa mais do que vale, por isso os amalequitas o deixaram passar fome no deserto. Os homens de Davi cuidam dele com figos e uvas passas até ele se recuperar e pedem que o servo os leve até o acampamento de seus velhos amigos. Ele fica feliz em poder fazer um favor.

Davi e seus homens vão para cima do inimigo como gaviões sobre ratos. Cada mulher e cada criança israelitas são resgatadas. Cada amalequita ou cai morto ou foge, deixando despojos preciosos para trás. Davi passa de bode expiatório a herói, e a algazarra e a gritaria começam.

O auge da história, no entanto, ainda está por vir. Para sentir toda a força dela, imagine os pensamentos de alguns dos personagens dessa história.

As esposas resgatadas. Você simplesmente foi arrancada de sua casa e arrastada pelo deserto. Temia por sua vida e agarrava seus filhos. Então, em um belo dia, os mocinhos invadem o acampamento. Braços fortes erguem-na e colocam-na diante da corcova de um camelo. Você agradece a Deus pelo grupo de elite da polícia que a resgatou e começa a procurar por seu marido no rosto dos soldados.

— Querido — você grita. — Querido! Onde você está?

Aquele que a resgata puxa as rédeas do camelo para ele parar.

— Uh — ele começa — uh... seu benzinho ficou no acampamento.

— Ele o quê?

— Ele ficou com os rapazes no ribeiro de Besor.

Não sei se as mulheres hebréias tinham rolos de macarrão, mas, se tinham, poderiam começar a usá-los nesse momento.

— Besor, é? Vou lhe dizer quem vai ficar no ribeiro.

A equipe de resgate. Quando Davi chamou, você arriscou sua vida. Agora, com a vitória na mão, você volta para o ribeiro de Besor. Chega ao topo da cordilheira que dá vista para o acampamento e vê os 200 homens lá embaixo.

— Seus parasitas!

Enquanto você lutava, eles dormiam. Você foi para a batalha; eles foram para matinês e massagistas. Eles encaçaparam 18 bolas e ficaram até tarde jogando pôquer.

Talvez você se sinta como alguns dos homens de Davi se sentiram: "Uma vez que não saíram conosco, não repartiremos com eles os bens que recuperamos. No entanto, cada um poderá pegar sua mulher e seus filhos" (30:22).

Esposas resgatadas: irritadas.

Resgatadores: ressentidos.

E os 200 homens que descansaram? Os vermes têm mais auto-estima. Eles sentem-se tão másculos quanto uma toalhinha de renda.

Uma bomba caseira feita de emoções é agitada, acesa e entregue a Davi. Eis como ele a neutraliza:

> Não façam isso com o que o SENHOR nos deu. Ele nos protegeu e entregou em nossas mãos os bandidos que vieram contra nós. Quem concordará com o que vocês estão dizendo? A parte de quem ficou com a bagagem será a mesma de quem foi à batalha. Todos receberão partes iguais (30:23,24)

Observe as palavras de Davi: ele refere-se a quem "ficou com a bagagem" — como se esse fosse o trabalho deles. Eles não pediram para guardar os suprimentos; queriam descansar. Mas Davi dignifica a decisão deles de ficar.

Davi fez muitas coisas importantes em sua vida. Ele fez muitas coisas insensatas em sua vida. Mas talvez a mais nobre tenha sido essa ação raramente discutida: ele honrou os soldados cansados no ribeiro de Besor.

Não há problema algum em descansar.
Jesus luta quando você não pode.

Algum dia, alguém lerá o que Davi fez e chamará a igreja deles de a Congregação junto ao ribeiro de Besor. Não é isso que a igreja tem por objetivo ser? Um lugar para que os soldados recuperem suas forças?

Em seu maravilhoso livro sobre Davi, *Transpondo Muralhas*, Eugene Peterson fala de uma amiga que às vezes assina suas cartas com "Um abraço no ribeiro de Besor".[1] Eu pergunto-me quantas pessoas poderiam fazer o mesmo. Estão cansadas demais para lutar. Envergonhadas demais para reclamar. Enquanto outros declaram vitória, os cansados ficam sentados em silêncio. Quantos ficam sentados junto ao ribeiro de Besor?

Se você estiver listado entre eles, aqui está o que você precisa saber: não há problema algum em descansar. Jesus é seu Davi.

Você está cansado? Tome fôlego. Você é forte?
Deixe o julgamento para os cansados.

Ele luta quando você não pode. Ele vai aonde você não pode ir. Ele não fica nervoso se você fica sentado. Não foi ele que fez o convite: "Venham comigo para um lugar deserto e descansem um pouco" (Marcos 6:31)?

O ribeiro de Besor abençoa o descanso.

O ribeiro de Besor também adverte contra a arrogância. Davi sabia que a vitória era um presente. Lembremo-nos da mesma coisa. A salvação vem como o egípcio no deserto, uma agradável surpresa que aparece no caminho. Não obtida. Não merecida. Quem são os fortes para criticar os cansados?

Você está cansado? Tome fôlego. Precisamos de sua força.

Você é forte? Deixe o julgamento para os cansados. É provável que você precise cair em cheio. E, quando cair, o ribeiro de Besor é uma boa história para se conhecer.

Capítulo 10

Sofrimento inexprimível

Talvez você ouça a notícia da boca de um policial:

— Sinto muito. Ele não sobreviveu ao acidente.

Talvez você ligue de volta para um amigo e receba a notícia:

— O cirurgião trouxe más notícias.

Muitos cônjuges já ouviram essas palavras da boca de soldados com cara fechada:

— Lamentamos informar que...

Nesses momentos, a primavera vira inverno, o azul fica cinza, os pássaros ficam em silêncio e a sensação de frio causada pela dor instala-se. É frio no vale da sombra da morte.

O mensageiro de Davi não é um policial, amigo ou soldado. É um amalequita ofegante com roupas rasgadas e o cabelo todo sujo que dá de cara com o acampamento de Ziclague com a seguinte notícia: "O nosso exército fugiu da batalha e muitos morreram. Saul e Jônatas também estão mortos" (2 Samuel 1:4).

Davi sabe que os hebreus estão lutando contra os filisteus. Sabe que Saul e Jônatas estão lutando pela própria vida. Ele estava esperando o resultado. Quando o mensageiro lhe mostra a coroa e o bracelete de Saul, Davi tem em mãos uma prova inegável — Saul e Jônatas estão mortos.

Jônatas — mais chegado que um irmão. Ele salvou a vida de Davi e jurou proteger seus filhos.

Saul — escolhido por Deus, ungido de Deus. Sim, ele perseguiu Davi. Ele atormentou Davi. Mas ele ainda era o ungido de Deus.

O rei escolhido por Deus — morto.

O melhor amigo de Davi — morto.

Restava para Davi enfrentar outro gigante — o gigante da dor.

Sentimos sua mão pesada sobre nossos ombros. Não em Ziclague, mas em salas de emergência, em hospitais de crianças, em acidentes de carro e em campos de batalha. E nós, como Davi, temos duas escolhas: fugir do gigante ou enfrentá-lo.

Muitos optam por evitar a dor. O capitão Woodrow Call estimulou o jovem Newt a fazer isso. No filme *Os Pistoleiros do Oeste*, Call e Newt têm de conduzir uma manada de cavalos do Texas para Montana lá pelos idos de 1880.

Nós, como Davi, temos duas escolhas:
fugir do gigante ou enfrentá-lo.

Quando um grupo de cobras d'água põe fim à vida do melhor amigo de Newt, Call dá-lhe um conselho pela perda, ao estilo faroeste. No enterro, sob a sombra de olmos e na presença de vaqueiros, ele aconselha:

– Fique longe, filho. Esta é a única maneira de lidar com a morte. Fique longe dela.

O que mais você pode fazer? O túmulo instiga tal dor inexprimível e perguntas que não têm resposta. Somos tentados a dar meia-volta e ir embora. Mude o tema, evite o assunto. Esforce-se. Beba muito. Ocupe-se. Fique distante. Siga para Montana e não olhe para trás.

Pagamos um preço alto quando agimos assim. Privação vem do termo *privar*. Consulte o termo *privar* no dicionário e você terá "tirar à força, saquear, roubar". A morte rouba você. O túmulo rouba momentos e lembranças ainda não compartilhados: aniversários, férias, passeios à toa, conversas durante o chá. Você fica desolado porque foi roubado.

Nada mais é normal e nunca será de novo. Depois que a esposa de C.S. Lewis morreu de câncer, ele escreveu: "Sua ausência é como o céu, que se estende sobre tudo".[1]

Quando você pensa que o bicho-papão da dor se foi, ouve uma música que ela adorava ou sente o cheiro da colônia que ele usava ou passa em frente a um restaurante onde vocês dois costumavam comer. O gigante continua aparecendo.

E o gigante da dor continua provocando. Provocando...

Ansiedade. "Estou perto?"

Culpa. "Por que não contei para ele?" "Por que não disse a ela?"

Anseio. Você vê casais perfeitos e deseja seu cônjuge. Você vê pais com os filhos e tem saudades de seu filho.

O gigante provoca insônia, perda de apetite, esquecimento, pensamentos suicidas. A dor não é uma doença mental, mas, às vezes, é como se fosse.

O capitão Call não entendeu isso.

Talvez seus amigos não entendam isso.

Talvez você não entenda isso. Mas, por favor, tente. Entenda a gravidade de sua perda. Você não perdeu um jogo ou colocou suas chaves no lugar errado. Você não se afastou da situação. Em algum momento, em questão de minutos ou meses, você precisará fazer o que Davi fez. Enfrente sua dor.

Ao ouvir sobre a morte de Saul e de Jônatas, "Davi cantou este lamento" (2 Samuel 1:17). O guerreiro chorou. O comandante enterrou o rosto barbado nas mãos calejadas e chorou. Ele "rasgou suas vestes; e os homens que estavam com ele fizeram o mesmo. E se lamentaram, chorando e jejuando até o fim da tarde, por Saul e por seu filho Jônatas, pelo exército do SENHOR e pelo povo de Israel, porque muitos haviam sido mortos à espada" (1:11,12).

Guerreiros em pranto cobriram as montanhas, uma multidão de homens andando, gemendo, chorando e pranteando. Eles rasgaram suas vestes, esmurraram o chão e exalaram gemidos de dor.

Você precisa fazer o mesmo. Expulse a dor de seu coração e, quando ela voltar, expulse-a novamente. Siga em frente, chore um rio de lágrimas.

Jesus chorou. Ao lado do túmulo de seu querido amigo, "Jesus chorou" (João 11:35). Por que ele faria tal coisa? Ele não sabe que a ressurreição de Lázaro está para acontecer? Basta uma palavra sua para ver o amigo sair do túmulo. Ele verá Lázaro antes do jantar. Por que as lágrimas?

A morte amputa um membro de sua vida.

Em meio às respostas que imaginamos ter e às muitas que não temos está esta: a morte tem um mau cheiro.

A morte amputa um membro de sua vida. Por isso Jesus chorou. E, nas lágrimas de Jesus, encontramos permissão para derramar as nossas. F. B. Meyer escreveu:

> Jesus chorou. Pedro chorou. Os convertidos de Éfeso choraram sobre o apóstolo, cuja face nunca mais veriam. Cristo está ao lado de todo aquele que chora, dizendo: "Chore, meu filho; chore, pois eu chorei".
> As lágrimas aliviam a cabeça quente, como um belo banho de chuva. As lágrimas descarregam a insuportável agonia do coração, assim como o transbordar diminui a pressão da enchente contra a barragem. As lágrimas são materiais com os quais o céu tece seu arco-íris mais brilhante.[2]

Não sabemos por quanto tempo Jesus chorou. Não sabemos por quanto tempo Davi chorou. Mas sabemos quanto tempo choramos, e o tempo parece tão truncado.

As lágrimas são materiais com os quais o céu tece seu arco-íris mais brilhante. — F. B. Meyer

Os egípcios vestem-se de preto por seis meses. Alguns muçulmanos usam roupas de luto por um ano. Os judeus ortodoxos fazem preces pela mãe ou pai falecido todos os dias por 11 meses. Há apenas 50 anos, os norte-americanos de regiões rurais usavam uma faixa preta no braço por um período de várias semanas.[3] E hoje? Sou o único que tem a impressão de que apressamos nossas dores?

A dor leva um certo tempo. Dê um tempo para si mesmo. "O coração do sábio está na casa onde há luto" (Eclesiastes 7:4). *Lamentar* pode ser um verbo estranho em nosso mundo, mas não nas Escrituras. Setenta por cento dos salmos são poemas de dor. Ora, o Antigo Testamento inclui um livro de lamentações. O filho de Davi escreveu: "A tristeza é melhor do que o riso, porque o rosto triste melhora o coração" (Eclesiastes 7:3).

Exploramos as questões mais profundas da vida na caverna da dor. Por que estou aqui? Para onde vou? Um giro pelo cemitério levanta questões difíceis, porém vitais.

Exploramos as questões mais profundas da vida na caverna da dor. Por que estou aqui? Para onde vou?

Davi entregou-se à total força de seu remorso: "Estou exausto de tanto gemer. De tanto chorar inundo de noite a minha cama; de lágrimas encharco o meu leito" (Salmo 6:6).

E, depois, mais tarde: "Minha vida é consumida pela angústia, e os meus anos pelo gemido; minha aflição esgota as minhas forças, e os meus ossos se enfraquecem" (Salmo 31:10).

Você está zangado com Deus? Diga isso a ele. Aborrecido com Deus? Deixe que ele saiba disso. Cansado de dizer às pessoas que você está bem quando não está? Diga a verdade. Foi o que fizeram meus amigos Thomas e Andrea Davidson. Uma bala perdida tirou-lhes Tyler, o filho de 14 anos. Tom escreve:

> Fomos bombardeados com a pergunta: "Como vocês estão?"... O que eu realmente queria dizer para todos era: "Como você acha que estamos? Nosso filho está morto, nossa vida está infeliz e eu gostaria de que o mundo acabasse".[4]

Talvez Davi tenha usado outras palavras. Talvez não. Uma coisa é certa: ele se negou a ignorar sua dor.

Como caíram os guerreiros!

Chorem por Saul, ó filhas de Israel!...

Como estou triste por você, Jônatas, meu irmão!
Como eu lhe queria bem!
Sua amizade era, para mim, mais preciosa que o amor das mulheres!

Caíram os guerreiros! (2 Samuel 1:19, 24, 26-27)

Davi chorou com a mesma criatividade com que adorou a Deus, e — grife isso — ele "cantou este lamento sobre Saul e seu filho Jônatas e ordenou que o ensinassem aos homens de Judá" (1:17,18).

Davi convidou a nação a prantear. Fez do choro uma política pública. Negou-se a encobrir ou amenizar a morte. Ele enfrentou-a, lutou contra ela, desafiou-a. Mas não a negou. Como explicou seu filho Salomão: "Há... tempo de prantear" (Eclesiastes 3:1-4).

Dê tempo para si mesmo. Enfrente sua dor com lágrimas, tempo, e — mais uma vez — enfrente sua dor com a verdade. Paulo incentivou os tessalonicenses a sofrer, mas não quis que os cristãos fossem "ignorantes quanto aos que dormem, para que não se [entristecessem] como os outros que não têm esperança" (1 Tessalonicenses 4:13).

A última palavra sobre a morte é de Deus. E, se você prestar atenção, ele lhe dirá a verdade sobre seus entes queridos. Eles receberam alta do hospital chamado Terra. Você e eu ainda vagamos pelos corredores, sentimos o cheiro dos remédios e comemos vagem e gelatina servidas em bandejas de plástico. Eles, enquanto isso, desfrutam de piqueniques, respiram o ar da primavera e correm em meio às flores que chegam à altura dos joelhos. Você sente uma saudade louca deles, mas é possível negar a verdade? Eles não têm dor, dúvida ou luta. Eles realmente estão mais felizes no céu.

E você não os verá logo? A vida passa muito rápido. "Deste aos meus dias o comprimento de um palmo; a duração da minha vida é nada diante de ti. De fato, o homem não passa de um sopro" (Salmo 39:5).

Ao deixar seus filhos na escola, você chora como se nunca mais fosse vê-los? Ao deixar seu cônjuge no mercado para ir estacionar o carro, você dá um último adeus para sempre?

Deus conhece a dor de um túmulo. Ele enterrou um filho. Mas ele também conhece a alegria da ressurreição. E, pelo poder dele, você também conhecerá.

Não. Quando você diz: "Até logo", é isso que você quer dizer. Quando você está no cemitério olhando para a terra fofa que acabou de ser revirada e promete: "*Até logo*", você está falando a verdade. Só falta uma fração de momento eterno para a reunião acontecer.

Não é necessário que vocês "se entristeçam como os outros que não têm esperança" (1 Tessalonicenses 4:13).

Por isso, vá em frente, enfrente sua dor. Dê tempo para si mesmo. Permita-se derramar lágrimas. Deus entende. Ele conhece a dor de um túmulo. Ele enterrou um filho. Mas ele também conhece a alegria da ressurreição. E, pelo poder de Deus, você também conhecerá.

Capítulo 11

Cruzamentos cegos

Posso me perder em qualquer lugar. É sério. Em qualquer lugar. O mapa mais simples me confunde; o caminho mais óbvio me deixa desnorteado. Eu não conseguiria seguir um elefante a 1,5 metro de distância na neve. Consigo ler errado as indicações pelo corredor que levam ao banheiro. Na verdade, uma vez fiz isso e deixei várias mulheres constrangidas em um restaurante *fast-food*, em Fort Worth.

Minha lista de acidentes parece uma lista de idéias cômicas para a Pantera Cor-de-Rosa.

- Uma vez fiquei perdido no hotel em que estava. Disse para a recepcionista que minha chave não estava funcionando e acabei percebendo que estava no andar errado tentando abrir a porta errada.
- Vários anos atrás eu estava convencido de que meu carro havia sido roubado da garagem do estacionamento do aeroporto. Ele não foi; eu estava na garagem errada.
- Uma vez embarquei no vôo errado e acordei na cidade errada.
- Enquanto seguia de Houston para San Antonio, saí da auto-estrada para abastecer o carro. Peguei a pista novamente e dirigi cerca de 30 minutos até perceber que estava voltando para Houston.

- Enquanto estava em Seattle, deixei o quarto de hotel com tempo de sobra para chegar ao meu compromisso como palestrante, mas, quando vi as placas na estrada alertando para a fronteira com o Canadá, percebi que chegaria atrasado.
- Uma vez fui correr de manhã, voltei para o hotel e comi. Servi-me duas vezes do bufê gratuito antes de lembrar que meu hotel não tinha um espaço para este serviço. Eu estava no lugar errado.

Se os gansos tivessem meu senso de direção, eles passariam os invernos no Alasca. Posso dar as mãos a Colombo, que, pelo que consta, não sabia para onde estava indo quando partiu, não sabia onde estava quando lá chegou e não sabia onde tinha estado quando voltou.

Você consegue se identificar com alguma dessas situações? É claro que consegue. Todos coçamos a cabeça uma ou duas vezes, se não em cruzamentos na estrada, ao menos nos cruzamentos da vida. O melhor dos navegadores perguntou-se:

- aceito o emprego ou desisto dele?
- aceito ou recuso o pedido de casamento?
- saio de casa ou fico em casa?
- faço ou compro?

Uma das maiores perguntas da vida é: *Como posso saber o que Deus quer que eu faça?*, e Davi faz essa pergunta. Ele acaba de saber da morte de Saul e de Jônatas. De repente, o trono fica vazio e as opções de Davi estão abertas. Mas, antes de dar um passo, ele consulta o Senhor:

> Passado algum tempo, Davi perguntou ao SENHOR: "Devo ir para uma das cidades de Judá?". O SENHOR respondeu que sim e Davi perguntou para qual delas. "Para Hebrom", respondeu o SENHOR (2 Samuel 2:1).

Davi adquire o hábito de apresentar suas opções a Deus. E ele faz isso com uma ferramenta fascinante. O colete sacerdotal. Observe que o colete apareceu na primeira vez em que Davi fugiu de Saul. Davi busca a ajuda dos sacerdotes de Nobe. Saul acusa os sacerdotes de abrigarem o fugitivo e, em consonância com sua paranóia, ele os mata. Um sacerdote chamado Abiatar, no entanto, foge. Ele não só escapa com vida como também leva algo mais; ele escapa com o colete sacerdotal.

> Abiatar, filho de Aimeleque, tinha levado o colete sacerdotal quando fugiu para se juntar a Davi...
> Quando Davi soube que Saul tramava atacá-lo, disse a Abiatar: "Traga o colete sacerdotal". Então orou: "Ó SENHOR, Deus de Israel, este teu servo ouviu claramente que Saul planeja vir a Queila e destruir a cidade por minha causa. Será que os cidadãos de Queila me entregarão a ele? Saul virá de fato, conforme teu servo ouviu? Ó SENHOR, Deus de Israel, responde-me".
> E o SENHOR lhe disse: "Ele virá".
> E Davi, novamente, perguntou: "Será que os cidadãos de Queila entregarão a mim e a meus soldados a Saul?"
> E o SENHOR respondeu: "Entregarão".
> Então Davi e seus soldados, que eram cerca de 600, partiram de Queila (1 Samuel 23:6, 9-13).

Davi veste o colete sacerdotal, fala com Deus e recebe uma resposta. Algo semelhante acontece depois da destruição de Ziclague. Com sua aldeia em ruínas e seus homens furiosos.

> Davi disse ao sacerdote Abiatar, filho de Aimeleque: "Traga-me o colete sacerdotal". Abiatar o trouxe a Davi, e ele perguntou ao SENHOR: "Devo perseguir esse bando de invasores? Irei alcançá-los?"
> E o SENHOR respondeu: "Persiga-os; é certo que você os alcançará e conseguirá libertar os prisioneiros" (30:7-8).

O que está acontecendo? O que é este colete sacerdotal? O que o torna tão eficaz? E esses coletes são vendidos em lojas de departamentos?

O colete sacerdotal surgiu na época das peregrinações pelo deserto. Moisés deu o primeiro de presente para o sacerdote Arão. Era uma veste com adornos, feita de linho branco, trabalhada com fios de ouro e fios de tecidos azul, roxo e vermelho. Um peitoral sustentando 12 pedras preciosas adornava a veste. O peitoral tinha um ou dois, talvez três, diamantes brilhantes ou pedras semelhantes ao diamante. Essas pedras tinham os nomes Urim e Tumim. Ninguém sabe o significado exato dos termos, mas "luz" e "perfeição" lideram a lista de sugestões.

Deus revelava sua vontade aos sacerdotes por meio dessas pedras. Como? Escritores antigos sugeriram vários métodos. As pedras:

- brilhavam quando a resposta de Deus era positiva;
- tinham letras que se moviam e se juntavam para formar uma resposta;
- eram objetos sagrados usados para a sorte que, uma vez lançados, revelariam uma resposta.[1]

Embora especulemos sobre a técnica, não precisamos adivinhar o valor. Você não cuidaria de tal ferramenta? Quando se via diante de uma escolha complicada, Davi podia, com o coração reverente, fazer um pedido e Deus lhe respondia.

Saul virá atrás de mim? Virá.

Os homens irão me capturar? Irão.

Devo perseguir o inimigo? Deve.

Irei alcançá-los? Irá.

Oh, que Deus faça o mesmo por nós. Que possamos pedir e ele responder. Que possamos clamar e ele responder.

O Deus que guiou Davi guia você.

Você não adoraria ter um colete sacerdotal? Quem diz que você não tem? Deus não mudou. Ele ainda promete nos guiar:

> O SENHOR diz: "Eu o instruirei e o ensinarei no caminho que você deve seguir; eu o aconselharei e cuidarei de você" (Salmo 32:8)
>
> Reconheça o SENHOR em todos os seus caminhos, e ele endireitará as suas veredas (Provérbios 3:6)
>
> Quer você se volte para a direita quer para a esquerda, uma voz atrás de você lhe dirá: Este é o caminho; siga-o (Isaías 30:21)

As minhas ovelhas ouvem a minha voz; eu as conheço, e elas me seguem (João 10:27)

O Deus que guiou Davi guia você. Você simplesmente precisa consultar seu Criador. Eu gostaria de ter buscado um conselho antes de tomar uma recente decisão. Acordei cedo, certa manhã, para uma reunião. Enquanto estava procurando algo para comer no café da manhã, descobri uma embalagem plástica com biscoitos na cozinha. Denalyn e nossa filha Sara haviam acabado de participar de um evento na escola onde foram vendidas guloseimas assadas, por isso pensei: *Que sorte! Biscoitos para o café da manhã. Denalyn deve tê-los feito para mim.*

Comi um e tive de mastigar bastante, parecia um chiclete. *Textura interessante*, pensei. *Faz-me lembrar pão árabe*. Comi o segundo. O gosto estava um pouco suave para mim, mas, quando misturado ao café, o resultado era interessante. Peguei o terceiro para sair para a rua. Teria pegado o quarto, mas como só sobrou um, deixei-o para Denalyn.

Naquele dia, mais tarde, ela telefonou.

— Parece que alguém mexeu na embalagem plástica.

— Fui eu — admiti. — Já comi biscoitos melhores no café da manhã, mas aqueles não estavam ruins.

— Aqueles não eram biscoitos para o café da manhã, Max.

— Não?

— Não.

— O que eram?

— Biscoitos caseiros para cachorros.

— Oh... — aquilo explicava muita coisa. Aquilo explicava a textura pastosa e por que os biscoitos não tinham sabor. Aquilo também explicava por que, durante todo o dia, sempre que eu coçava a barriga, minha perna chutava. (Sem mencionar meu súbito interesse por extintores de incêndio.)

Você tem uma Bíblia? Leia-a.

Eu deveria ter consultado quem os fez. Precisamos consultar o nosso Criador.

Talvez você não tenha as pedras Urim e Tumim, mas...

Você tem uma Bíblia? Leia-a.

Algum outro livro já foi descrito dessa maneira: "Pois a palavra de Deus é viva e eficaz e mais afiada que qualquer espada de dois gumes; ela penetra até o ponto de dividir alma e espírito, juntas e medulas, e julga os pensamentos e intenções do coração" (Hebreus 4:12)?

"Viva e eficaz." As palavras da Bíblia têm vida! Substantivos com números de pulsações. Adjetivos musculares. Verbos lançando-se de um lado para o outro pela página. Deus trabalha por meio dessas palavras. A Bíblia é para Deus o que uma luva cirúrgica é para o cirurgião. Deus chega até essas palavras para tocar lá no fundo do seu íntimo.

Você não sentiu o toque de Deus?

Na hora da solidão, você lê as palavras: "Nunca o deixarei, nunca o abandonarei" (Hebreus 13:5). As frases consolam como uma mão que toca seu ombro.

Quando a ansiedade consome sua paz, alguém compartilha esta passagem: "Não andem ansiosos por coisa alguma, mas em tudo, pela oração e pelas súplicas, e, com ação de graças, apresentem seus pedidos a Deus" (Filipenses 4:6). As palavras arrancam um suspiro de sua alma.

Ou talvez a preguiça esteja batendo à sua porta. Você está considerando um esforço indiferente quando Colossenses 3:23 vem à sua mente: "Tudo o que fizerem, façam de todo o coração, como para o Senhor, e não para os homens". Tais palavras podem ferir, não podem?

Coloque-as em prática.

Você tem uma família de fé? Consulte-a.

"Habite ricamente em vocês a palavra de Cristo; ensinem e aconselhem-se uns aos outros com toda a sabedoria" (Colossenses 3:16).

Não tome uma decisão, seja grande ou pequena, sem sentar-se diante de Deus com a Bíblia aberta, o coração aberto, os ouvidos abertos, imitando a oração de Samuel: "O teu servo está ouvindo" (1 Samuel 3:10).

Você tem uma Bíblia? Leia-a.

Você tem uma família de fé? Consulte-a.

Outros já fizeram sua pergunta. Você não é o primeiro a encarar seu problema. Outros já estiveram em sua posição e perguntaram para si mesmos aquilo que você se pergunta. Procure o conselho deles. "Observem bem o resultado da vida que tiveram [os seus líderes] e imitem a sua fé" (Hebreus 13:7).

Seu casamento está difícil? Encontre um casamento forte. Lutando com a ética nos negócios? Busque o sábio conselho de um empresário cristão. Lutando com as decisões da meia-idade? Antes de deixar sua família e aproveitar sua aposentadoria, reserve um tempo para buscar conselhos. "O caminho do insensato parece-lhe justo, mas o sábio ouve os conselhos" (Provérbios 12:15).

Você não precisa de um colete sacerdotal para usar, nem de pedras para consultar; você tem a família de Deus. Ele falará com você por meio dela. E ele falará com você por meio de sua própria consciência.

Você tem o coração voltado para Deus? Preste atenção nele.

Cristo toca o coração que o contém. "Deus é quem efetua em vocês tanto o desejo quanto a realização, de acordo com a boa vontade dele" (Filipenses 2:13). O que seu coração lhe diz para fazer? Que escolha produz a maior sensação de paz?

Cristo toca o coração que o contém.

Há alguns anos, faltava-nos, a Denalyn e a mim, apenas assinar os documentos para nos mudarmos de uma casa para outra. A estrutura era boa e o preço era justo... Parecia uma mudança sensata. Mas não senti paz nisso. O projeto provocou desconforto e inquietação. Por fim, fui ao escritório da construtora e tirei meu nome da lista. Até hoje não consigo apontar a fonte do desconforto. Só não senti paz para fechar o negócio.

Alguns meses atrás, fui convidado para falar em uma conferência sobre união racial. Minha intenção era recusar o convite, mas não tive coragem para isso. O evento ficava ressurgindo à superfície de minha mente como uma bóia em um lago. Por fim, aceitei. Voltando do evento, eu ainda não podia explicar a impressão de estar lá. Mas senti paz na decisão, e aquilo foi suficiente.

Às vezes uma escolha só "parece" certa. Ao justificar a escrita de seu evangelho para Teófilo, Lucas disse: "Pareceu-me que seria bom conferir todas essas narrações e, depois de uma investigação completa, mandar-lhe este resumo" (1:3, A Bíblia Viva).

Notou a expressão "pareceu-me que seria bom"? Essas palavras refletem uma pessoa diante dos cruzamentos. Lucas ponderou suas opções e escolheu o caminho que lhe "pareceu bom".

Judas fez o mesmo. Sua intenção era dedicar sua epístola ao tema da salvação, mas ele não ficou à vontade com a escolha. Observe o terceiro versículo de sua carta.

> Amados, embora estivesse muito ansioso por lhes escrever acerca da salvação que compartilhamos, senti que era necessário escrever-lhes insistindo que batalhassem pela fé de uma vez por todas confiada aos santos (v. 3).

Mais uma vez a linguagem... "Ansioso por... senti que..." De onde vinham os sentimentos de Judas? Não vinham de Deus? O mesmo Deus "efetua em vocês tanto o querer quanto o realizar, de acordo com a boa vontade dele" (Filipenses 2:13).

Deus cria em nós o "querer".

Cuidado com isso. As pessoas ficam conhecidas por justificarem a estupidez com base em um "sentimento". "Senti que Deus estava me levando a trair minha esposa... não honrar minhas contas... mentir para meu chefe... flertar com minha vizinha casada." Anote aí: Deus não o levará a desobedecer à sua Palavra. Ele não contradirá seus ensinamentos. Cuidado com a expressão: "Deus levou-me a...". Não saia por aí brincando. Não disfarce seu pecado como se fosse algo que Deus o levou a fazer.

Deus não o levará a desobedecer à sua Palavra.

Ele não o levará a mentir, enganar, magoar. Ele, fielmente, o guiará pelas palavras de suas Escrituras e pelo conselho de seus fiéis.

Você não precisa de colete sacerdotal nem de pedras preciosas; você tem um coração no qual habita o Espírito de Deus. Como escreveu F. B. Meyer um século atrás:

> Cada filho de Deus tem sua própria pedra Urim e Tumim... uma consciência livre de ofensas, um coração purificado no sangue de Cristo, uma natureza espiritual que está impregnada e cheia do Espírito Santo de Deus... Você está tendo dificuldades em seu caminho? Vá até Deus com sua pergunta; receba a direção vinda da luz do sorriso de Deus ou da nuvem de sua resposta negativa... fique sozinho, onde as luzes e sombras da terra não possam interferir, onde a perturbação da vontade própria não perturbe, onde as opiniões humanas não consigam alcançar — ...espere ali, em silêncio e esperançoso, ainda que tudo ao seu redor insista para que uma decisão ou ação imediata seja tomada — a vontade de Deus ficará clara; e você terá... uma nova concepção de Deus, [e] uma percepção mais profunda de sua natureza.[2]

Você tem um coração voltado para Deus? Preste atenção nele.

Uma família de fé? Consulte-a.

Uma Bíblia? Leia-a.

Você tem tudo o que precisa para enfrentar as grandes questões de sua vida. Sobretudo, você tem um Deus que o ama demais para deixá-lo andar errante. Confie nele... e evite os biscoitos para cachorros.

Capítulo 12

Fortalezas

Pete senta-se na rua e encosta a cabeça na parede de um prédio. Gostaria de batê-la contra ela. Acaba de estragar tudo de novo. Todos eventualmente cometem enganos ao falar. Pete faz isso diariamente. Ele solta palavras erradas como uma baleia esguichando água salgada, respingando besteiras para todos os lados. Ele sempre machuca alguém, mas, nessa noite, acabou por machucar seu melhor amigo. Oh, Pete e sua língua afiada!

Depois temos Joe e suas falhas. O pobre rapaz não consegue manter um emprego. Sua carreira disputa com as Montanhas Rochosas — sobe, desce; fria, quente; lucrativa, improdutiva. Ele tentou os negócios da família. Despediram-no. Tentou suas habilidades como gerente. Foi demitido e acabou preso. Agora, lá está ele sentado na prisão, com um futuro tão desolado quanto o Deserto de Mojave. Ninguém podia culpá-lo por se sentir inseguro; ele fracassou em cada oportunidade.

Há também o caso de uma adorável mulher que enfrenta problemas não no trabalho, mas no casamento. O primeiro fracassou. O mesmo aconteceu com o segundo. Com o terceiro quase acabando, ela já sabia o nome dos netos dos oficiais de justiça. Se sua quarta jornada rumo ao divórcio não a convenceu, a quinta tirou todas as dúvidas. Ela está fadada ao fracasso conjugal.

As pessoas e seus conhecidos problemas. Pete sempre fala antes de pensar. Joe sempre falha quando deveria ter sucesso. Essa querida mulher vence no casamento com a mesma freqüência com que um burro vence em uma corrida de cavalos.

E você? Tem um problema freqüente que consome sua vida?

Alguns têm a tendência de trapacear. Outros são rápidos para duvidar. Talvez você se preocupe. Sim, todos se preocupam um pouco, mas você distribui ansiedade. Talvez você seja judicioso. É óbvio que todos podem ser críticos, mas você dá mais julgamentos do que um juiz federal.

O que é essa fraqueza: mau hábito, atitude desagradável? Onde Satanás tem uma fortaleza dentro de você? Ah! Há a palavra adequada — *fortaleza*: uma fortificação, cidadela, com muros espessos, portões altos. É como se o diabo reivindicasse uma fraqueza como sendo sua e construísse uma trincheira em torno dela.

— Você não vai tocar nessa falha — ele desafia o céu, colocando-se diretamente entre a ajuda de Deus e:

- seu temperamento explosivo;
- sua auto-imagem frágil;
- seu apetite insaciável;
- sua falta de confiança na autoridade.

As estações vêm e vão, e este monstro do lago Ness ainda espreita, lá do fundo da água, sua alma. Ele não irá embora. Faz jus ao seu nome: *forte* o suficiente para prender feito uma morsa e teimoso o suficiente para *segurar firme*. Ele aperta como a armadilha feita para um urso — quanto mais você se agita, mais ela machuca.

Fortalezas: desafios velhos, difíceis, desanimadores.

Foi diante disso que Davi se viu quando olhou para Jerusalém. Quando você e eu pensamos na cidade, visualizamos templos e profetas. Imaginamos Jesus ensinando, uma igreja neotestamentária crescendo. Imaginamos uma capital próspera, centro da história.

Quando vê Jerusalém em 1000 a.C., Davi vê algo mais. Ele vê uma triste fortaleza milenar, invadindo desafiadoramente o cume de uma cadeia de montanhas. Uma camada rochosa irregular que se destaca a ergue. Muros altos protegem-na. Jebuseus habitam-na. Ninguém os incomoda.

Filisteus lutam contra amalequitas. Amalequitas lutam contra hebreus. Mas e os jebuseus? Eles são uma cascavel enrolada no deserto. Todos os deixam em paz.

Todos, quer dizer, exceto Davi. O rei de Israel recém-coroado está de olho em Jerusalém. Ele herdou um reino dividido. O povo precisa, não só de um líder forte, mas também de um forte centro de operações. A base de Hebrom em que Davi está no momento fica muito ao sul para aliciar a lealdade das tribos do norte. Mas, se for para o norte, ele isolará o sul. Davi procura uma cidade neutra, centralizada.

Ele quer Jerusalém. Só gostaríamos de saber quantas vezes ele olhou para os muros da cidade. Ele cresceu em Belém, que ficava a apenas um dia de caminhada ao sul. Escondeu-se nas cavernas na região de En-Gedi, que não ficava no extremo sul. É claro que percebeu Jerusalém. Em algum lugar ele a reconheceu como a capital perfeita. A coroa mal havia se assentado em sua cabeça quando ele pôs os olhos em seu mais novo Golias.

> O rei e seus soldados marcharam para Jerusalém para atacar os jebuseus que viviam lá. E os jebuseus disseram a Davi: "Você não entrará aqui! Até os cegos e os aleijados podem se defender de você"... mas Davi conquistou a fortaleza de Sião, que veio a ser a Cidade de Davi. Naquele dia disse Davi: "Quem quiser vencer os jebuseus terá que utilizar a passagem de água... Davi passou a morar na fortaleza e chamou-a Cidade de Davi" (2 Samuel 5:6-9).

Esta história lamentavelmente curta atormenta-nos com a dupla aparição do termo *fortaleza*. No versículo 7, "Davi conquistou a fortaleza" e, no versículo 9, "Davi passou a morar na fortaleza".

Jerusalém atende às qualificações de uma fortaleza: uma fortificação velha, difícil e desanimadora. Do alto das torres pequenas, os soldados jebuseus têm tempo de sobra para apontar flechas para qualquer um que queira subir nos muros. Desanimador? Veja como os habitantes da cidade insultam Davi: "Você não entrará aqui! Até os cegos e os aleijados podem se defender de você" (5:6).

Os jebuseus despejam escárnios sobre Davi assim como Satanás joga baldes de desânimo em você:

- "Você nunca superará seus maus hábitos."
- "Nasceu pobre; vai morrer pobre."
- "Você pensa que pode vencer seu vício? Repense."

Se você já ouviu os escárnios que Davi ouviu, sua história precisa da palavra que a história de Davi tem. Você a viu? A maioria das pessoas passa batida por ela. Nós não. Pegue uma caneta e grife esta palavra de três letras:

Mas.

"Mas Davi conquistou a fortaleza..."

É verdade, a cidade era velha. Os muros eram difíceis. As vozes eram desanimadoras... *Mas* Davi conquistou a fortaleza.

Você não adoraria que Deus escrevesse um *mas* em sua biografia? Nasceu para ser uma alcoólatra, *mas* ela levou uma vida sóbria.

Você não adoraria que Deus escrevesse
um mas em sua biografia?

Ele nunca foi para a faculdade, *mas* foi mestre nos negócios. Ele não lia a Bíblia até chegar à idade de se aposentar, *mas* chegou a uma fé profunda e duradoura.

Todos precisamos de um *mas*. E Deus tem muitos por aí. As fortalezas nada significam para ele. Você se lembra das palavras de Paulo? "As armas com as quais lutamos não são humanas; pelo contrário, são poderosas em Deus para destruir fortalezas" (2 Coríntios 10:4).

Você e eu lutamos com palitos de dente; Deus chega com aríetes e canhões. O que ele fez por Davi, ele pode fazer por nós. A pergunta é: Faremos o que Davi fez? O rei dá aqui grandes exemplos.

Davi não dá ouvidos às velhas vozes. Aqueles escarnecedores pavoneando-se no alto dos muros? Davi os ignora. Ele rejeita suas palavras e ocupa-se em trabalhar.

Neemias, nesses mesmos muros, usou uma estratégia idêntica. No seu caso, no entanto, ele estava lá no alto das pedras e os escarnecedores estavam lá embaixo. Avance 500 anos da época de Davi e você verá que os baluartes de Jerusalém estão em ruínas e que a maior parte de seu povo está no cativeiro. Neemias lidera um programa de construção para restaurar as fortificações. Os críticos mandam-no parar. Planejam intrometer-se em seu trabalho. Listam todas as razões por que as pedras não podem e não devem ser empilhadas novamente. Mas Neemias não lhes dá ouvidos. "Estou executando um grande projeto e não posso descer. Por que parar a obra para ir encontrar-me com vocês?" (Neemias 6:3). Neemias sabia fazer com que seus dissidentes se calassem.

Jesus fez o mesmo também. Respondeu às tentações de Satanás com três frases concisas e três versículos bíblicos. Não dialogou com o diabo. Quando Pedro lhe pediu para evitar a cruz, Jesus não cogitou a idéia. "Para trás de mim, Satanás!" (Mateus 16:23). Uma multidão ridicularizou o que ele disse acerca de uma garotinha: "'A menina não está morta, mas dorme'. Todos começaram a rir dele" (Mateus 9:24). Você sabe o que Jesus fez com os opositores? Ele os silenciou. "Depois que a multidão se afastou, ele entrou e tomou a menina pela mão; e ela se levantou" (9:25).

Davi, Neemias e Jesus fizeram o que chamamos de "ouvir de forma seletiva". Não podemos fazer o mesmo?

Dois tipos de pensamentos constantemente disputam sua atenção. Um diz: "Sim, você pode". O outro diz: "Não, você não pode". Um diz: "Deus irá ajudá-lo". O outro mente: "Deus o abandonou". Um fala a linguagem do céu; o outro engana no vernáculo dos jebuseus. Um proclama os poderes de Deus; o outro lista os seus fracassos. Um quer colocá-lo para cima; o outro procura puxá-lo para baixo.

Dois tipos de pensamentos constantemente disputam sua atenção. Um proclama os poderes e Deus; o outro lista os seus fracassos.

E aqui está a grande notícia: você escolhe a voz que ouve. Por que ouvir os zombadores? Por que prestar atenção na voz deles?

Por que ouvir os zombadores... quando você pode, com os mesmos ouvidos, dar atenção à voz de Deus?

Por que dar ouvidos aos cérebros de amendoim e aos escarnecedores quando você pode, com os mesmos ouvidos, dar atenção à voz de Deus?

Faça o que Davi fez. Não dê ouvidos às velhas vozes. E, ao fazer isso, abra os olhos para novas escolhas. Quando todos os outros viram muros, Davi viu túneis. Os outros se concentraram no óbvio. Davi procurou o incomum. Uma vez que fez o que ninguém esperava, ele alcançou o que ninguém imaginava. Seja criativo na solução de seus problemas.

Conheço um jovem casal que lutou contra a fortaleza da tentação sexual. Eles queriam deixar o sexo para a lua-de-mel, mas não sabiam se conseguiriam. Por isso fizeram o que Davi fez. Tentaram uma estratégia diferente. Procuraram a ajuda de um casal entendido no assunto. Armazenaram o número do telefone do casal mais velho na discagem rápida do telefone e pediram permissão para telefonar para eles, independentemente da hora, quando a tentação fosse grande. O muro era alto, por isso eles usaram o túnel.

Eu tinha um amigo que lutava contra a fortaleza do álcool. Ele tentou uma tática nova. Deu permissão para que eu e alguns outros companheiros o puníssemos com veemência caso o víssemos bebendo. O muro era alto demais, por isso ele tentou o túnel.

Uma mulher rebate sua ansiedade memorizando longos trechos das Escrituras. Um representante de vendas itinerante pede que os hotéis tirem a televisão de seu quarto para que ele não seja tentado a assistir a filmes para adultos. Outro homem ficou tão cansado de seu preconceito que se mudou para um bairro menos favorecido, fez novos amigos e mudou sua atitude.

Se o muro for alto demais, tente um túnel.

Davi encontrou uma nova esperança em um buraco do lado de fora dos muros de Jerusalém. Você também pode. Não distante do túnel de Davi está o suposto túmulo de Cristo. O que o túnel de Davi fez por ele, o túmulo de Jesus pode fazer por você. "É incrivelmente grande o seu poder [o poder de Deus] para ajudar aqueles que crêem nele. Foi esse mesmo grandioso poder que levantou a Cristo dentre os mortos e o fez sentar-se no lugar de honra no céu, à mão direita de Deus" (Efésios 1:19,20, A Bíblia Viva)

Faça o que Davi fez.

Não dê ouvidos às velhas vozes.

Abra bem os olhos para as novas escolhas.

Quem sabe, talvez você só esteja a uma oração de distância de um *mas*. Deus gosta de oferecê-los.

Ele deu um *mas* para Pete. Você se lembra dele? Pete, o que fala antes de pensar? Deus acabou com a fortaleza de Satanás que estava em sua língua. Para ter uma prova, leia o sermão de Pedro sobre o Pentecostes, em Atos 2. Deus transformou o impetuoso Pedro no apóstolo Pedro (Lucas 22:54-62).

E Joe, o fracassado? Demitido pela família; condenado à prisão a pedido de seu patrão... Joe, o desempregado, pode vir a ser grande coisa? José pôde. Ele tornou-se primeiro-ministro do Egito (Gênesis 37–50).

E a que se divorciou cinco vezes? A mulher que os homens descartavam, Jesus discipulou. Segundo o último relato, ela havia apresentado Cristo a toda a sua vila. A mulher samaritana foi a primeira missionária de Jesus (João 4:1-42). Outra prova de que "as armas [de Deus]... são poderosas... para destruir fortalezas" (2 Coríntios 10:4).

Pedro meteu os pés pelas mãos.

José foi preso no Egito.

A mulher samaritana foi casada cinco vezes.

Jesus estava morto no túmulo...

Mas Pedro pregou, José governou, a mulher compartilhou, Jesus ressuscitou — e você?

A sua história você escreve. Seu *mas* o espera.

Capítulo 13

Deus distante

Um homem morto e um homem dançando. Um esticado no chão, o outro dando pulos no ar. O homem morto é o sacerdote Uzá. O homem que está dançando é o rei Davi. Os leitores de 2 Samuel não sabem o que fazer com nenhum dos dois.

Um pequeno contexto os ajudará.

A morte do primeiro e a dança do segundo têm algo a ver com a arca da aliança, uma caixa retangular comissionada por Moisés. A caixa não era grande: um metro e dez de altura por 70 centímetros de largura. Três dos objetos hebraicos mais preciosos ficavam na arca: uma jarra de ouro contendo o maná intacto, a vara de Arão que floresceu muito tempo depois de ter sido cortada e as preciosas tábuas de pedra tocadas pelo dedo de Deus ao serem gravadas. Uma lâmina de ouro pesada, chamada propiciatório, servia como tampa para a caixa. Dois querubins de ouro, com asas estendidas, ficavam de frente um para o outro e olhavam para a tampa de ouro. Representavam a majestade do Senhor guardando a lei e as necessidades do povo. A arca simbolizava a provisão (o maná) de Deus, o poder (a vara) de Deus, os preceitos (os mandamentos) de Deus e, principalmente, a presença de Deus.

Durante a época do templo, o sumo sacerdote podia ficar uma vez por ano diante da arca. Após oferecer sacrifícios pessoais de arrependimento, ele entrava no santo dos santos, segundo a história, com uma corda amarrada ao tornozelo para que não perecesse na presença de Deus e precisasse ser arrastado para fora.

É possível exagerarmos quanto à importância da arca? Dificilmente. Até onde seria preciosa para nós a manjedoura em que Jesus nasceu? E a cruz? Se tivéssemos a mesma cruz sobre a qual ele foi crucificado, daríamos valor a ela? Você também daria.

Por isso nós nos perguntamos por que os israelitas não valorizavam a arca da aliança. Surpreendentemente, deixaram-na acumular pó por 30 anos na casa de um sacerdote que morava cerca de 11 quilômetros ao oeste de Jerusalém. Negligenciada. Ignorada. Mas Davi, recém-coroado, resolve mudar isso. Depois de organizar a cidade de Jerusalém, ele tem como sua prioridade trazer a caixa de volta. Planeja um desfile de alto nível e convida 30.000 hebreus a participar.

Eles reúnem-se perto da casa do sacerdote Abinadabe. Seus dois filhos,[1] Uzá e Aiô, são responsáveis pelo transporte. Eles carregam a arca em uma carroça puxada por bois e começam a marcha. Trombetas soam, canções ecoam, e tudo segue bem ao longo dos três primeiros quilômetros até que eles pegam um trecho ruim da estrada. Os bois tropeçam, a carroça balança e a arca se desloca. Uzá, pensando que a caixa sagrada estava para cair da carroça, estica o braço para segurá-la. O céu fulminou Uzá "e ele morreu" (2 Samuel 6:7).

Isso acaba rapidamente com o desfile. Todos voltam para casa. Profundamente angustiado, Davi volta para Jerusalém. A arca é mantida na casa de Obede-Edom enquanto Davi resolve tudo. Ao que parece, Davi é bem sucedido em sua missão, pois, ao final de três meses, ele volta, recupera a arca e reinicia o desfile. Dessa vez ninguém morre. Há dança. Davi entra em Jerusalém cheio de alegria. E "Davi foi dançando com todas as suas forças perante o SENHOR" (6:14).

Dois homens. Um morto. O outro dançando. O que eles nos ensinam? Especificamente, o que eles nos ensinam sobre a questão de invocar a presença de Deus? É isso que Davi quer saber: "Como vou conseguir levar a arca do SENHOR?" (6:9).

Na história de Davi e seus gigantes, esse é um problema do tamanho de um gigante. Deus é um deus distante?

A tragédia de Uzá ensina o seguinte:
Deus vem com suas próprias condições.

As mães perguntam: "Como a presença de Deus pode vir sobre meus filhos?" Os pais pensam: "Como a presença de Deus pode encher minha casa?" As igrejas desejam em seu meio a presença de Deus que toca, que ajuda, que cura.

Como a presença de Deus pode vir até nós?

Devemos acender velas, entoar cânticos, edificar um altar, liderar uma comitiva, doar um barril cheio de dinheiro? O que invoca a presença de Deus? Uzá e Davi misturam morte e dança para revelar uma resposta.

A tragédia de Uzá ensina o seguinte: *Deus vem com suas próprias condições*. Ele dá instruções específicas quanto ao cuidado com a arca e com o seu transporte. Somente os sacerdotes podiam aproximar-se dela. E, então, só depois ofereciam sacrifícios por si mesmos e suas famílias (veja Levítico 16). A arca era erguida, não com as mãos, mas com varas de acácia. Os sacerdotes passavam varas longas pelas argolas nas extremidades para carregarem-na. "Os coatitas virão carregá-los [os utensílios e todos os artigos sagrados]. Mas não tocarão nas coisas sagradas; se o fizerem, morrerão... eles deveriam carregar nos ombros os objetos sagrados" (Números 4:15; 7:9).

Uzá deveria saber disso. Ele era um sacerdote, um sacerdote coatita, um descendente do próprio Arão. A arca fora mantida na casa de seu pai, Abinadabe. Ele crescera com ela — o que talvez seja a melhor explicação para seus atos.

Ele recebe a ordem de que o rei quer a arca e diz: "É claro que posso levá-la. Nós a tiramos do celeiro. Vamos colocá-la na carroça". O santo tornou-se monótono. O sagrado, de qualidade inferior. Por isso ele muda as ordens por conveniência, usando uma carroça, em vez de varas, e touros, em vez de sacerdotes. Não vemos obediência ou sacrifício; vemos conveniência.

Deus irou-se.

Mas ele tinha de matar Uzá? Ele tinha de tirar sua vida?

Fizemos a pergunta para Joe Shulam. Joe cresceu em Jerusalém, estudou no Seminário de Rabinos Judeus Ortodoxos e ainda mora em Israel. Ele conhece o Antigo Testamento a fundo. Ele encontrou alguns de nós no aeroporto e nos levou para Jerusalém, passando perto do lugar onde Uzá foi morto.

— A pergunta — opinou ele em resposta — não é por que Deus matou Uzá, mas, em vez disso, por que ele nos deixa vivos?

A julgar pelo número de igrejas mortas e corações frios, não tenho tanta certeza de que seja assim.

A imagem de Uzá morto manda um lembrete sério e arrepiante para aqueles de nós que conseguem ir à igreja com a freqüência que desejam, ter comunhão sempre que desejam. A mensagem é: não relaxe diante do santo. Deus não será levado em carroças convenientes ou carregado por animais irracionais.

Não relaxe diante do santo.

Não o confunda com um gênio que sai de uma lâmpada depois de ela ser esfregada ou com um mordomo que aparece ao som de uma campainha.

Deus vem, lembre-se. Mas ele vem com suas próprias condições. Ele vem quando ordens são respeitadas, corações estão limpos e a confissão é feita.

Mas e o segundo personagem? Qual é a mensagem do homem dançando?

A primeira reação de Davi à morte de Uzá não é nada alegre. Ele retira-se para Jerusalém, confuso e magoado, "contrariado porque o SENHOR, em sua ira, havia fulminado Uzá" (1 Crônicas 13:11).

Três meses se passam antes de Davi voltar para buscar a arca. Ele faz isso com um protocolo diferente. Sacerdotes tomam o lugar de touros. O sacrifício toma o lugar da conveniência. Os levitas consagram-se "para transportar a arca do SENHOR". Eles carregam a arca de Deus "apoiando as varas da arca sobre os ombros, conforme Moisés tinha ordenado, de acordo com a Palavra do SENHOR" (1 Crônicas 15:14,15).

Ninguém tem pressa. "Quando os que carregavam a arca do SENHOR davam seis passos, ele [Davi] sacrificava um boi e um novilho gordo" (2 Samuel 6:13). Quando percebe que Deus não está irado, Davi oferece um sacrifício e ________________________. Selecione a resposta correta dentre as seguintes alternativas:

a. ajoelha-se perante o Senhor;
b. cai prostrado perante o Senhor;
c. abaixa a cabeça perante o Senhor;
d. dança com todas as suas forças perante o Senhor.

Se sua resposta foi a alternativa *d*, você acaba de ganhar um ingresso para a quadrilha da igreja. Davi dança com todas as suas forças perante o Senhor (6:14). Cambalhotas, chutes para o alto. Rodopiando, pulando. Não é bater os pés ou balançar a cabeça.

Deus vem quando ordens são respeitadas,
corações estão limpos e a confissão é feita.

O termo hebraico descreve Davi andando em círculos, saltitando e pulando. Esqueça o arrasta-pé simbólico ou a valsa obrigatória. Davi-o-matador-de-gigantes torna-se Davi-o-dançarino-de-passos-duplos. Ele é o prefeito de uma cidade famosa no dia de um santo badalado, pulando e gingando à frente do desfile.

E, se não bastasse, ele tira o colete sacerdotal, a veste de linho para orações. O colete cobre a mesma parte que cobre uma camiseta longa.

Bem ali, diante de Deus, do altar e de todas as demais pessoas, Davi tira nada menos que sua roupa íntima sagrada. (Imagine o presidente da República fugindo do Salão Oval de cueca e dando cambalhotas por uma avenida movimentada.)

Davi dança e nós abaixamos a cabeça. Prendemos a respiração. Sabemos o que está por vir. Lemos sobre Uzá. Sabemos o que Deus faz com os irreverentes e com os metidos. Ao que parece, Davi não estava prestando atenção. Pois aqui está ele, em plena presença de Deus e dos filhos de Deus, sacudindo sua roupa íntima. Segure sua respiração e chame o coveiro. Até logo, rei Davi. Prepare-se para ser fritado, flambado e refogado.

Mas nada acontece. O céu está em silêncio, Davi continua rodopiando e nós ficamos curiosos. A dança não chateia Deus? O que Davi tem que Uzá não tinha? Por que o Pai celestial não está zangado?

Pela mesma razão por que eu não estava. Elas não fazem agora, mas, quando eram muito pequenas, minhas filhas dançavam quando eu chegava em casa. Meu carro na entrada de casa era sinal para elas começarem a puxar a banda. "Papai chegou!", elas anunciavam, passando correndo pela porta. Bem ali, no gramado em frente de casa, elas dançavam. Extravagantemente. Com o rosto sujo de chocolate e a fralda lá nos pés, elas se exibiam para que todos os vizinhos vissem.

Isso me incomodava? Eu ficava irritado? Ficava preocupado com o que as pessoas pensariam? Dizia para elas se endireitarem e agirem de forma madura? De jeito nenhum.

Deus disse a Davi que se comportasse? Não. Ele o deixou dançar.

As Escrituras não retratam Davi dançando em algum outro momento. Ele não dançou com a morte de Golias. Nunca sambou no meio dos filisteus. Não inaugurou seu tempo como rei com uma valsa ou dedicou a Jerusalém um giro pelo salão de baile. Mas, quando Deus chegou à cidade, Davi não conseguiu ficar parado.

Talvez Deus se pergunte como foi que nós nos contivemos. Não gostamos daquilo que Davi queria? A presença de Deus. Jesus prometeu: "Eu estarei sempre com vocês, até o fim dos tempos" (Mateus 28:20). Contudo, faz quanto tempo que enrolamos o tapete e celebramos noite afora a presença de Deus?

O que Davi sabia que não sabemos? Do que ele se lembrou que nós esquecemos? Em uma frase, poderia ser o seguinte:

O presente de Deus é sua presença.

Seu maior presente é ele mesmo. O pôr-do-sol tira-nos o fôlego. O azul do Caribe acalma nosso coração. Recém-nascidos levam-nos às lágrimas.

O presente de Deus é sua presença.
Seu maior presente é ele mesmo.

O amor para toda a vida embeleza nossa vida. Mas leve tudo isso embora — prive-nos do pôr-do-sol, de oceanos, de bebês murmurando e de corações moles — e deixe-nos no deserto do Saara, e ainda teremos razão para dançar na areia. Por quê? Porque Deus está conosco.

Isso deve ser o que Davi sabia. E isso deve ser o que Deus quer que saibamos. Nunca estamos sozinhos. Nunca.

Deus ama você demais para deixá-lo sozinho, por isso ele não o deixou. Ele não o deixou sozinho com seus medos, suas preocupações, suas doenças ou sua morte. Por isso, pule de alegria.

E faça festa! Davi "abençoou o povo em nome do SENHOR dos Exércitos, e deu um pão, um bolo de tâmaras e um bolo de uvas passas a cada homem e a cada mulher israelita" (2 Samuel 6:18,19). Deus está conosco. Essa é a razão para a celebração.

Uzá, ao que parece, deixou isso escapar. Uzá via um deus pequeno, um deus que cabia dentro de uma caixa e precisava de ajuda para se equilibrar. Por isso Uzá não se preparou para ele. Ele não se purificou para se encontrar com o santo: não ofereceu sacrifício, não observou os mandamentos. Esqueça-se do arrependimento e da obediência; coloque Deus na parte de trás de uma carroça e siga em frente.

Ou, em nosso caso, viva como o inferno por seis dias e aproveite a graça do domingo. Ou, quem se importa com aquilo em que você crê? Apenas use um crucifixo em volta do pescoço para ter sorte. Ou, acenda algumas velas, faça algumas preces e tenha Deus do seu lado.

O corpo sem vida de Uzá alerta contra tal irreverência. A falta de temor a Deus leva à morte do homem. Deus não será bajulado, controlado, evocado ou ordenado a descer. Ele é um Deus pessoal que ama, cura, ajuda e intervém.

Um coração reverente e pés que dançam
podem pertencer à mesma pessoa.

Ele não responde a poções mágicas ou *slogans* inteligentes. Ele procura mais. Procura reverência, obediência e corações com fome de Deus.

E, quando os vê, ele vem! E, quando ele vier, deixe a banda começar. E, sim, um coração reverente e pés que dançam podem pertencer à mesma pessoa.

Davi tinha as duas coisas.

Que tenhamos o mesmo.

A propósito, você se lembra do que eu disse sobre minhas filhas dançando de fraldas e com um sorriso largo no rosto? Eu costumava dançar com elas. Você pensa que eu ficava de lado e perdia a diversão? Não, senhor. Eu pegava-as no colo — duas e até as três de uma vez — e nós girávamos. Nenhum pai perde a chance de dançar com o filho.

(O que me deixa curioso para saber se Davi poderia ter tido um par para dançar.)

Capítulo 14

Duras promessas

A vida do rei Davi não poderia ter sido melhor. Ele havia acabado de ser coroado. A sala onde fica seu trono cheira à tinta fresca e o arquiteto de sua cidade está projetando novos bairros. A arca de Deus habita no tabernáculo; ouro e prata transbordam nos cofres do rei; os inimigos de Israel mantêm-se à distância. Os dias de Saul, prostrado, são uma lembrança distante.

Mas algo desperta uma dessas lembranças. Um comentário, talvez, ressuscita uma velha conversa. Talvez um rosto familiar balance em sinal de negativo diante de uma decisão com data marcada para acontecer. Em meio à sua nova vida, Davi lembra-se de uma promessa de seus tempos antigos: "Resta ainda alguém da família de Saul a quem eu possa mostrar lealdade, por causa de minha amizade com Jônatas?" (2 Samuel 9:1).

Confusão é o que se vê no rosto da corte de Davi. Por que se preocupar com os filhos de Saul? Esse é um novo tempo, essa é uma nova administração. Quem se importa com a velha guarda? Davi. Ele se importa porque se lembra do acordo que fez com Jônatas. Quando Saul ameaçou matar Davi, Jônatas tentou salvá-lo. Jônatas conseguiu fazê-lo e depois fez este pedido: "Se eu continuar vivo, seja leal comigo, com a lealdade do SENHOR; mas se eu morrer, jamais deixe de ser leal com a minha família" (1 Samuel 20:14,15).

Jônatas morre. Mas o acordo de Davi não. Ninguém teria pensado duas vezes antes de deixá-lo para trás. Davi tem muitas razões para se esquecer da promessa que fez a Jônatas.

Os dois eram jovens e idealistas. Quem cumpre as promessas de juventude?

Saul era cruel e impiedoso. Quem honra os filhos de um sujeito vingativo?

Davi tem uma nação para governar e um exército para liderar. Que rei tem tempo para coisas pequenas?

Mas, para Davi, um acordo não é uma coisa pequena. Quando listar os gigantes que Davi enfrentou, esteja certo de que a palavra *promessa* não foi cortada e faz parte da pequena lista. Ela certamente aparece em grande parte das listas de desafios pelo monte Everest.

O marido de uma esposa deprimida conhece o desafio de uma promessa. Enquanto ela se vê diariamente em meio a uma sombra de tristeza, ele se pergunta sobre o que teria acontecido com a garota com quem se casou. Você consegue cumprir uma promessa em um momento como esse?

A esposa de um marido que a trai faz a mesma pergunta. Ele está de volta. Arrependido. Ela está magoada. Ela se pergunta: *Ele quebrou sua promessa... Devo manter a minha?*

Pais têm feito a mesma pergunta. Pais de filhos pródigos. Pais de filhos que fogem. Pais de filhos deficientes e incapacitados.

Até pais de crianças saudáveis têm se perguntado como manter uma promessa. Os momentos da lua-de-mel e as noites tranqüilas ficam enterrados sob uma pilha de fraldas sujas e noites curtas.

Promessas. Comprometidas entre flores de primavera. Cobradas no tempo cinzento do inverno. Elas aparecem em nossa vida liliputiana feito um gigante Gulliver. Nunca escapamos de suas sombras. Davi, ao que parece, não tentou escapar.

Promessas. Comprometidas entre flores de primavera.
Cobradas no tempo cinzento do inverno.

Encontrar um descendente de Jônatas não era fácil. Ninguém que pertencia ao círculo de Davi conhecia um. Conselheiros mandaram chamar Ziba, um antigo servo de Saul. Será que ele conhecia um membro ainda vivo da família de Saul? Dê uma boa olhada na resposta de Ziba: "Ainda há um filho de Jônatas, aleijado dos pés" (2 Samuel 9:3).

Ziba não menciona nenhum nome, só diz que o menino é aleijado. Percebemos um repúdio levemente disfarçado em suas palavras: "Cuidado, Davi. Ele não — como diria você? — cai bem no palácio. Você podia pensar duas vezes antes de cumprir essa promessa."

Ziba não dá detalhes sobre o menino, mas o quarto capítulo de 2 Samuel os apresenta. A pessoa em questão é o filho de Jônatas, Mefibosete. (Que nomes incríveis! Você está precisando de nomes para seus nenês? Experimente Ziba e Mefibosete. Eles vão se destacar na escola.)

Quando Mefibosete tinha cinco anos, seu pai e seu avô morreram nas mãos dos filisteus. Conhecendo a brutalidade dos filisteus, a família de Saul foi para as montanhas. A ama de Mefibosete apanhou-o e fugiu, depois tropeçou e deixou-o cair, quebrando ele os dois tornozelos, o que o deixou irremediavelmente manco. Servos fugitivos carregaram-no na travessia do rio Jordão até uma vila inóspita chamada Lo-Debar. O nome significa "sem pasto". Imagine uma cidade com um trailer tombado, arrendado por um preço ridículo, jogado no meio de um deserto. Mefibosete escondeu-se ali, primeiro porque estava com medo dos filisteus, depois porque teve medo de Davi.

Junte os tristes detalhes da vida de Mefibosete:

- nasceu como herdeiro legítimo do trono;
- foi vitimado por uma queda;
- foi deixado, impossibilitado de andar, em uma cidade estranha;
- lá vivia sob a ameaça de morte.

Vitimado. Excluído. Incapacitado. Inculto.

"Tem certeza?", insinua a resposta de Ziba. "Tem certeza de que você quer gente como esse menino em seu palácio?"

Davi tem certeza.

Servos estacionam uma enorme limusine do outro lado do rio Jordão e batem à porta da cabana. Explicam por que estão ali, colocam Mefibosete dentro do carro e levam-no para o palácio. O menino imagina o pior. Ele vai ao encontro de Davi com o entusiasmo de um presidiário no corredor da morte, entrando na sala em que receberá uma injeção letal.

O menino prostra-se e pergunta:

"Quem é o teu servo, para que te preocupes com um cão morto como eu?"

Então o rei convocou Ziba e disse-lhe: "Devolvi ao neto de Saul, seu senhor, tudo o que pertencia a ele e à família dele... Mefibosete comerá sempre à minha mesa" (9:8-10).

Em tempo menor que o necessário para pronunciar Mefibosete duas vezes, o menino é promovido de Lo-Debar para a mesa do rei. Adeus, anonimato. Olá, realeza e palácio real. Observe: Davi poderia ter enviado dinheiro para Lo-Debar. Teria, generosamente, cumprido sua promessa com uma pensão anual vitalícia. Mas Davi deu mais do que uma pensão para Mefibosete; ele lhe deu um lugar — um lugar à mesa do rei.

Observe atentamente o retrato de família pendurado sobre a lareira de Davi; você verá o sorriso largo no diploma do Colégio de Lo-Debar. Davi está sentado no trono, no centro, rodeado de muitas esposas. Bem em frente ao belo e bronzeado Absalão, à direita da incrível beleza de Tamar, na fileira do estudioso Salomão, você verá Mefibosete, neto de Saul, filho de Jônatas, apoiando-se em suas muletas e sorrindo como se tivesse acabado de ganhar na loteria de Jerusalém.

E isso não deixa de ser verdade. A criança que não tinha pernas para sustentar-se tem tudo para viver. Por quê? Por que impressionou Davi? Convenceu Davi? Coagiu Davi? Não. Mefibosete não fez nada. Uma promessa motivou Davi. O rei é bom, não porque o menino esteja merecendo, mas porque a promessa é eterna.

Para ter outra prova, acompanhe a vida de Mefibosete. Ele acomoda-se no baluarte e desaparece das Escrituras por 15 anos ou algo em torno disso. Reaparece em meio ao drama da rebelião de Absalão.

Absalão, um filho rebelde, força Davi a fugir de Jerusalém. Envergonhado, o rei escapa com alguns amigos fiéis. Adivinhe quem está entre eles? Mefibosete? Pensei que você acharia também. Mas não é. É Ziba. Ziba diz para Davi que Mefibosete ficou do lado do inimigo. A história desenrola-se, Absalão perece e Davi volta para Jerusalém, onde Mefibosete dá ao rei outra versão da história. Ele encontra-se com Davi sem estar com a barba aparada e com roupas sujas. Segundo ele, Ziba abandonou-o em Jerusalém e não o colocou em um cavalo para que pudesse viajar.

Quem está dizendo a verdade? Ziba ou Mefibosete? Um está mentindo. Qual deles? Não sabemos. Não sabemos porque Davi nunca pergunta. Ele nunca pergunta, porque não importa. Se Mefibosete diz a verdade, ele fica. Se mente, ele fica. Seu lugar no palácio depende, não de seu comportamento, mas da promessa de Davi.

Por quê? Por que Davi é tão leal? E como? Como Davi é tão leal?

Deus é o exemplo a ser seguido em termos do cumprimento de acordos.

Mefibosete não traz nada e leva muito. De onde Davi tirou tal decisão? Se pudéssemos perguntar para Davi como ele venceu o gigante da promessa, ele nos tiraria de sua história e nos levaria à história de Deus. Deus é o exemplo a ser seguido em termos do cumprimento de acordos.

Como disse Moisés aos israelitas:

> Saibam, portanto, que o SENHOR, o seu Deus, é Deus; ele é o Deus fiel, que mantém a aliança e a bondade por mil gerações daqueles que o amam e obedecem aos seus mandamentos (Deuteronômio 7:9).

Deus faz e nunca quebra suas promessas. O termo hebraico para pacto, *beriyth*, significa "um acordo solene de peso obrigatório".[1] Seu pacto irrevogável corre como um fio vermelho pelo tapete das Escri-turas. Você lembra-se de sua promessa a Noé?

> Estabeleço uma aliança com vocês: Nunca mais será ceifada nenhuma forma de vida pelas águas de um dilúvio; nunca mais haverá dilúvio para destruir a terra".
> E Deus prosseguiu: "Este é o sinal da aliança que estou fazendo

> entre mim e vocês e com todos os seres vivos que estão com vocês, para todas as gerações futuras: o meu arco que coloquei nas nuvens. Será o sinal da minha aliança com a terra (Gênesis 9:11-13).

Todo arco-íris nos faz lembrar do pacto de Deus. Curiosamente, astronautas que viram os arco-íris do espaço sideral contam que eles formam um círculo completo.[2] As promessas de Deus, de igual modo, não se quebram e não têm fim.

Abraão pode falar de promessas. Deus disse ao patriarca que contar as estrelas e contar seus descendentes seriam dois desafios idênticos.

O pacto irrevogável de Deus corre como um fio vermelho pelo tapete das Escrituras.

Para garantir o juramento, Deus levou Abraão a cortar vários animais ao meio. Para selar um pacto no Antigo Oriente, quem fazia a promessa passava pelo corpo dividido do animal, oferecendo-se para ter o mesmo destino se quebrasse sua palavra.

> Depois que o sol se pôs e veio a escuridão, eis que um fogareiro esfumaçante, com uma tocha acesa, passou por entre os pedaços dos animais. Naquele dia o SENHOR fez a seguinte aliança com Abrão: "Aos seus descendentes dei esta terra, desde o ribeiro do Egito até o grande rio, o Eufrates" (Gênesis 15:17,18).

Deus leva a sério as promessas e as sela de maneira drástica. Considere o caso de Oséias. Setecentos anos antes do nascimento de Jesus, Deus ordenou que Oséias se casasse com uma prostituta chamada Gômer. (Se a profissão dela não causasse suficiente impacto, seu nome causaria.) Todavia, Oséias obedeceu. Gômer deu à luz três filhos, sendo que nenhum deles era de Oséias. Gômer abandonou Oséias para levar uma vida igual à de uma garota de programa em uma casa noturna. O fundo do poço chegou na forma de um leilão, em que homens faziam lances para comprá-la como escrava. Homens de menor envergadura acenavam para ela dando-lhe a entender que podia ir embora. Não Oséias. Ele fez os lances, comprou sua esposa e levou-a novamente para casa. Por quê? Aqui está a explicação de Oséias.

> O SENHOR me disse: "Vá, trate novamente com amor sua mulher, apesar de ela ser amada por outro e ser adúltera. Ame-a como o SENHOR ama os israelitas, apesar de eles se voltarem para outros deuses e de amarem os bolos sagrados de uvas passas".
>
> Por isso eu a comprei por 180 gramas de prata e um barril e meio de cevada (Oséias 3:1,2).

Você precisa de uma descrição do nosso Deus que cumpre promessas? Olhe para Oséias comprando de volta a esposa. Olhe para a panela quente passando pelos animais. Olhe para o arco-íris. Olhe para Mefibosete. Você nunca se apresentou como Mefibosete, de Lo-Debar, mas poderia. Você se lembra dos detalhes da desgraça dele? Ele...

- nasceu como herdeiro legítimo do trono;
- foi vitimado por uma queda;
- foi deixado, impossibilitado de andar, em uma cidade estranha;
- lá vivia sob a ameaça de morte.

Essa é a sua história! Você não nasceu como um filho do Rei? Você não ficou manco por causa do tropeço de Adão e Eva? Quem, entre nós, não perambulou pela areia seca de Lo-Debar?

Mas então veio o mensageiro do palácio. Um professor da quarta série, um amigo do colégio, uma tia, um pregador da televisão. Eles vieram com uma grande notícia e uma limusine que estava à nossa espera.

—Você não vai acreditar nisso — anunciaram — mas o rei de Israel tem um lugar à mesa para você. O cartão que indica seu lugar à mesa está impresso e a cadeira está vazia. Ele o quer na família.

Por quê? Por causa do seu QI? Deus não precisa de nenhum conselho.

O dinheiro de sua aposentadoria? Não vale um tostão para Deus.

Suas habilidades na empresa? É claro! O arquiteto de órbitas precisa de sua opinião.

Sinto muito, Mefibosete. O convite não tem nada a ver com você e tem tudo a ver com Deus.

Sua vida eterna é conseqüência do pacto, garantida pelo pacto e baseada no pacto.

Ele fez a promessa de que lhe daria a vida eterna: "[a] esperança da vida eterna, a qual o Deus que não mente prometeu antes dos tempos eternos" (Tito 1:2).

Sua vida eterna é conseqüência do pacto, garantida pelo pacto e baseada no pacto. Você pode olhar para Lo-Debar pelo espelho retrovisor por uma razão — Deus cumpre suas promessas. O fato de Deus cumprir promessas não deveria inspirá-lo a fazer o mesmo?

O céu sabe que você poderia se valer de certa inspiração. As pessoas podem cansá-lo. E há momentos em que tudo o que podemos fazer não é suficiente. Quando um cônjuge opta por sair de casa, não podemos forçá-lo a ficar.

Ao amar aquele que não ama, você tem um vislumbre daquilo que Deus faz por você.

Quando um cônjuge comete um abuso, não devemos continuar. O que há de melhor no amor pode não ser correspondido. Não pretendo, em nenhum momento, minimizar os desafios que alguns de vocês enfrentam. Você está cansado. Você está irritado. Você está desapontado. Este não é o casamento que você esperava ou a vida que queria. Mas lá no seu passado está uma promessa que você fez. Posso incentivá-lo a fazer todo o possível para cumpri-la? Para fazer mais uma tentativa?

Por que você deveria? Para que possa entender a profundidade do amor de Deus.

Ao amar aquele que não ama, você tem um vislumbre daquilo que Deus faz por você. Ao deixar a luz da frente acesa para o filho pródigo, ao fazer o que é certo mesmo tendo feito o errado, ao amar o fraco e o doente, você faz o que Deus faz a cada instante. Cumprir o pacto é sua inscrição na escola de pós-graduação de Deus. Quando você ama os mentirosos, os trapaceiros e os que partem seu coração, você não está fazendo o que Deus fez por nós? Preste atenção em suas brigas e tome nota. Deus o convida a entender o amor dele.

Ele também quer que você o demonstre.

Davi fez isso com Mefibosete. Davi era uma parábola ambulante da lealdade de Deus. Oséias fez o mesmo com Gômer. Ele vestiu-se da devoção divina. Minha mãe fez isso com meu pai. Lembro-me de vê-la cuidando dele em seus últimos meses. A esclerose lateral amiotrófica (ELA) sugou a vida de cada músculo de seu corpo. Ela fez por ele o que mães fazem por seus bebês. Ela deu-lhe banho, alimentou-o e vestiu-o. Pôs uma cama de hospital na sala de nossa casa e cumpriu sua missão com ele. Se ela se queixou, nunca ouvi. Se franziu as sobrancelhas, nunca vi. O que ouvi e vi foi uma mulher cumprindo um pacto. "É isso que o amor faz" — era o que suas ações anunciavam quando ela passava-lhe talco, fazia sua barba e lavava seus lençóis. Ela exemplificou o poder de uma promessa cumprida.

Deus pede que você faça o mesmo. Demonstre o amor resistente. Encarne a fidelidade. Deus está lhe dando uma chance do tamanho da de Mefibosete para mostrar para seus filhos e seus vizinhos o que o verdadeiro amor faz.

Abrace-o. Quem sabe? Alguém pode contar sua história de lealdade para ilustrar a lealdade de Deus?

Uma última reflexão.Você lembra-se do retrato de família no palácio de Davi? Duvido que Davi tivesse um. Mas acho que o céu poderia ter. Não será maravilhoso ver seu rosto no retrato? Dividindo a moldura com gente como Moisés e Marta, Pedro e Paulo... lá estarão você e Mefibosete.

Ele não vai querer ser o único arreganhando os dentes.

Capítulo 15

O máximo em arrogância

Você pode subir muito para seu próprio bem. É possível subir alto demais, ficar alto demais e alçar alto demais.

Fique muito tempo em altas altitudes e dois de seus sentidos vão sofrer. Você perde a audição. É difícil ouvir pessoas quando se está mais alto que elas.

Você pode subir muito para seu próprio bem.

As vozes ficam distantes. As frases parecem abafadas. E, quando se está lá em cima, sua vista embaça. É difícil focalizar as pessoas quando se está muito acima delas. Elas parecem tão pequenas... Pequenos vultos sem rosto. Você mal consegue distinguir umas das outras. Todas elas parecem iguais.

Você não as ouve. Você não as vê. Você está acima delas.

É exatamente aí que Davi está. Ele nunca esteve mais alto. A onda de seu sucesso chega ao auge quando ele tem 50 anos. Israel está se expandindo. A nação está prosperando. Em duas décadas no trono, ele distinguiu-se como guerreiro, músico, estadista e rei. Seu ministério é forte e suas fronteiras cobrem mais de 95.000 quilômetros quadrados. Não há derrotas no campo de batalha. Não há manchas em sua administração. Davi é amado pelo povo; servido pelos soldados; seguido pelas multidões. Davi está lá no alto o tempo todo.

Que contraste com o modo como o encontramos pela primeira vez no vale de Elá: ajoelhando-se à beira do ribeiro, procurando por cinco pedras lisas! Todos os outros estavam em pé. Os soldados estavam em pé. Golias estava em pé. Seus irmãos estavam em pé. Os outros estavam no alto; Davi estava abaixado, de barriga para baixo, na parte mais baixa do vale. Nunca esteve tão baixo, contudo nunca esteve tão forte.

Três décadas depois sua situação se inverteu. Nunca esteve tão alto, ao mesmo tempo nunca esteve mais fraco. Davi chega ao ponto mais alto de sua vida, na posição mais alta do reino, no lugar mais importante da cidade — no terraço que dava vista para Jerusalém.

Ele deveria estar com seus homens, na batalha, com um pé no cavalo e o outro no encalço de seu inimigo. Mas ele não estava. Ele estava em casa.

> Na primavera, época em que os reis saíam para a guerra, Davi enviou para a batalha Joabe com seus oficiais e todo o exército de Israel; e eles derrotaram os amonitas e cercaram Rabá. Mas Davi permaneceu em Jerusalém (2 Samuel 11:1).

É primavera em Israel. As noites são quentes e o ar está perfumado. Davi tem o tempo nas mãos, o amor na cabeça e as pessoas à sua disposição.

Seus olhos caem sobre uma mulher enquanto ela está no banho. Sempre teremos curiosidade para saber se Bate-Seba estava tomando banho em um lugar onde não deveria estar, esperando que Davi olhasse para onde não deveria olhar. Nunca saberemos. Contudo, sabemos que ele olha e gosta do que vê. Por isso ele pergunta sobre ela. Um servo volta com a seguinte informação: "É Bate-Seba, filha de Eliã e mulher de Urias, o hitita" (11:3).

O servo passa a informação com uma advertência. Ele não só dá o nome da mulher, mas seu estado civil e o nome de seu marido. Por que dizer a Davi que ela é casada senão para preveni-lo? E por que dar o nome do marido uma vez que Davi não estava familiarizado com ele?

É provável que Davi conhecesse Urias. O servo espera, com jeito, dissuadir o rei de suas pretensões. Mas Davi não entende a dica. O versículo seguinte descreve o primeiro passo de Davi em uma ladeira cheia de óleo. "Davi mandou que a trouxessem, e se deitou com ela" (11:4).

Davi "manda" muitas vezes nessa história. Ele *envia* Joabe para a batalha (v.1). Ele *envia* um servo para procurar saber coisas sobre Bate-Seba (v. 3). Ele *manda* que tragam Bate-Seba até ele (v. 4). Quando fica sabendo da gravidez de Bate-Seba, Davi *manda* um recado para Joabe (v. 6) para que ele *envie* Urias para Jerusalém. Davi *manda* Urias descansar em casa com Bate-Seba, mas Urias é nobre demais. Davi opta por *mandar* Urias novamente para a batalha em uma posição em que certamente será morto. Pensando que sua tentativa para encobrir a verdade está completa, Davi *manda* que tragam Bate-Seba e se casa com ela (v. 27).

Não gostamos deste Davi que envia, que exige. Preferimos o Davi que pastoreia, que cuida do rebanho; o Davi que lança com força, que se esconde de Saul; o Davi que adora, que escreve salmos. Não estamos preparados para o Davi que perde o domínio de seu autocontrole.

O que aconteceu com ele? Simples! É o mal da altitude. Ele estava lá no alto havia muito tempo. O ar rarefeito mexeu com seus sentidos. Ele não pode ouvir como estava acostumado. Não pode ouvir as advertências do servo ou a voz de sua consciência. Nem pode ouvir seu Senhor. O pico ensurdeceu seus ouvidos e cegou seus olhos. Davi viu Bate-Seba? Não. Ele viu Bate-Seba tomando banho.

Fique muito tempo em altas altitudes
e dois de seus sentidos vão sofrer.

Viu o corpo de Bate-Seba e as curvas de Bate-Seba. Viu Bate-Seba como uma conquista. Mas viu Bate-Seba como ser humano? A esposa de Urias? A filha de Israel? A criação de Deus? Não. Davi perdeu sua visão. Tempo demais no topo da montanha fará isso com você. Horas demais sob o sol brilhante e no ar rarefeito o deixará ofegante e atordoado.

Sem dúvida, quem entre nós poderia subir tão alto quanto Davi? Quem entre nós está a um estalar de dedos de um encontro com alguém que escolhemos? Presidentes e reis podem mandar pessoas cumprirem suas ordens; temos sorte de poder pedir que alguém nos traga comida chinesa. Não temos esse tipo de influência.

Podemos entender outros conflitos de Davi. Seu medo de Saul. Longos períodos de tempo escondendo-se no deserto. Estivemos lá. Mas o importante e poderoso Davi? O terraço de Davi é um lugar onde nunca estivemos.

Ou estivemos?

Não estive em um terraço, mas em um vôo. E não vi uma mulher no banho, mas uma comissária de bordo dando bola fora o tempo todo. Ela não conseguia fazer nada certo. Pediam soda e ela trazia suco. Pediam um travesseiro e ela trazia um cobertor — isso quando de fato trazia alguma coisa.

E comecei a resmungar. Não em voz alta, mas em meus pensamentos. *O que há com o serviço nesses dias?* Acho que estava ficando um pouco convencido. Havia acabado de dar uma palestra em um evento. As pessoas haviam dito como estavam felizes por me verem ali. Não sei o que era mais louco: o fato de elas dizerem isso ou o fato de eu acreditar nisso. Assim entrei no avião me sentindo o tal. Tive de inclinar a cabeça para passar pela porta. Tomei meu assento sabendo que o vôo era seguro, já que os céus sabem que sou essencial para a obra de Deus.

Então pedi o refrigerante, o travesseiro... Ela mencionou os serviços e eu murmurei. Vê o que eu estava fazendo? Colocando-me acima da comissária de bordo. Na hierarquia social do avião, ela estava abaixo de mim. Sua função era servir e a minha era ser servido.

Não olhe para mim assim. Você já não se sentiu um pouco superior a alguém? Ao manobrista do estacionamento; ao balconista da quitanda; ao vendedor de amendoim na peleja; ao funcionário de casaco xadrez? Você já fez o que fiz. E você já fez o que Davi fez. Perdemos nossa visão e nossa audição.

Quando olhei para a comissária de bordo, não vi um ser humano; vi uma comodidade necessária. Mas sua pergunta mudou tudo.

— Sr. Lucado?

Imagine minha surpresa quando a comissária de bordo se ajoelhou do lado de meu assento.

— É o senhor que escreve os livros cristãos?

Livros cristãos, sim. Pensamentos cristãos — essa é uma outra questão, eu disse para mim mesmo, descendo as escadas do terraço.

— Posso falar com o senhor? — ela perguntou. Seus olhos encheram-se de lágrimas, seu coração abriu-se e ela usou os três ou quatro minutos seguintes para falar de sua dor. A papelada do divórcio havia chegado naquela manhã. Seu marido não ligava de volta para ela. Ela não sabia onde iria morar. Mal podia concentrar-se no trabalho. Eu poderia orar por ela?

Orei. Mas tanto Deus como eu sabíamos que ela não era a única que estava precisando de oração.

Talvez você pudesse usar uma oração também. Como está a sua audição? Você ouve os servos que Deus envia? Você ouve a consciência que Deus desperta?

E sua visão? Você ainda vê pessoas? Ou vê apenas suas funções? Vê pessoas que precisam de você ou vê pessoas abaixo de você?

A história de Davi e Bate-Seba é mais uma história de poder do que uma história de luxúria. Uma história de um homem que subiu alto demais para seu próprio bem. Um homem que precisava ouvir essas palavras: "Desça antes que você caia".

"O orgulho vem antes da destruição; o espírito altivo, antes da queda" (Provérbios 16:18).

Deve ser por isso que Deus odeia a arrogância. Ele detesta ver seus filhos caírem; detesta ver seus Davis seduzirem e suas Bate-Sebas serem vitimadas.

Davi e Bate-Seba: é mais uma história de poder do que uma história de luxúria.

Deus odeia o que o orgulho faz com seus filhos. Não é que ele não goste da arrogância. Ele a odeia. Ele poderia deixar isso mais claro do que Provérbios 8:13: "Odeio o orgulho e a arrogância"? E depois, alguns capítulos mais adiante: "O SENHOR detesta os orgulhosos de coração. Sem dúvida serão punidos" (16:5).

Você não quer que Deus faça isso. Pergunte para Davi. Ele nunca se recuperou totalmente desse episódio com esse gigante. Não cometa o erro de Davi. É muito mais sábio descer a montanha do que cair dela.

Busque humildade. Humildade não significa pensar coisas inferiores sobre si mesmo, mas pensar menos em si mesmo. "Ninguém tenha de si mesmo um conceito mais elevado do que deve ter; mas, ao contrário, tenha um conceito equilibrado, de acordo com a medida da fé que Deus lhe concedeu" (Romanos 12:3).

Humildade não significa pensar coisas inferiores sobre si mesmo, mas pensar menos em si mesmo.

Aceite sua pobreza. Todos somos igualmente duros e abençoados. "O homem sai nu do ventre de sua mãe e, como vem, assim vai" (Eclesiastes 5:15).

Resista ao lugar de notoriedade. "[Quando você for convidado,] ocupe o lugar menos importante, de forma que, quando vier aquele que o convidou, diga-lhe: 'Amigo, passe para um lugar mais importante'. Então você será honrado na presença de todos os convidados" (Lucas 14:10).

Não é melhor ser convidado a subir do que a descer?

Deus tem um remédio para os altivos e poderosos: descer da montanha. Você se surpreenderá com o que você ouve e com quem você vê. E irá respirar com muito mais facilidade.

Capítulo 16

Quedas gigantescas

O que o Vaticano dará pelo nome do papa? Rogers Cadenhead procurou uma resposta. Com a morte do papa João Paulo, este auto-intitulado "colecionador de domínios" registrou o domínio www.BenedictXVI.com antes de o nome do novo papa ser anunciado. Cadenhead garantiu-o antes que Roma percebesse que precisava dele.

O nome do domínio certo pode mostrar-se lucrativo. Outro nome, PopeBenedictXVI.com, ultrapassou a casa dos 16 mil dólares na E-bay, empresa de comércio eletrônico. Cadenhead, no entanto, não queria dinheiro. Como católico, ele estava feliz pelo fato de a igreja reconhecer o nome.

— Vou tentar e evitar irritar 1,1 bilhão de católicos e minha avó — brincou.

Entretanto, ele gostaria de algo em troca. Em troca, Cadenhead procurava:

1. "um daqueles chapéus";
2. "uma estadia gratuita no hotel do Vaticano";
3. "total absolvição, sem perguntas, para a terceira semana de março de 1987".[1]

Você está curioso para saber o que aconteceu naquela semana, não está? Talvez ela o faça se lembrar de uma semana em que aconteceu algo com você. A maioria de nós tem uma ou mais semanas.

Um verão cheio de loucuras, um mês fora da rotina, os dias ficaram uma loucura. Se existisse uma caixa de fitas documentando cada segundo de sua vida, quais fitas você queimaria? Você tem uma época em que cedeu ao desejo, bebeu ou fumou?

O rei Davi teve. Uma queda poderia ser pior do que a dele? Ele seduz e engravida Bate-Seba, assassina seu marido e engana seu general e soldados. Depois ele se casa com ela. Ela tem o filho.

A verdade parece estar totalmente coberta. O observador descuidado não detecta nenhuma razão para preocupação. Davi tem uma nova esposa e uma vida feliz. Tudo parece bem no trono. Mas nem tudo está bem no coração de Davi. Ele, mais tarde, descreverá esse período de pecado encoberto em termos explícitos:

> Enquanto eu mantinha escondidos os meus pecados, o meu corpo definhava de tanto gemer.
>
> Pois dia e noite a tua mão pesava sobre mim; minhas forças foram-se esgotando como em tempo de seca (Salmo 32:3,4).

A alma de Davi lembra um olmo do Canadá no inverno. Estéril. Frustrada. Envolta em tristeza. Sua harpa está pendurada, sem cordas. Sua esperança hiberna. O sujeito é um desastre ambulante. Sua "terceira semana de março" persegue-o como uma matilha de lobos. Ele não consegue escapar. Por quê? Porque Deus continua a trazê-la à tona.

Com essas palavras o narrador introduz um novo personagem ao drama de Davi e Bate-Seba: Deus. Até aqui ele não aparecia no texto, não havia sido mencionado na história.

Davi seduz — não há menção de Deus. Davi conspira — não há menção de Deus. Urias enterrado, Bate-Seba casada — não há menção de Deus. Não se fala com Deus e Deus não fala. A primeira metade do versículo 27 atrai o leitor para um falso final feliz: Bate-Seba "se tornou sua mulher e teve um filho dele". Eles decoram o quarto do bebê e escolhem nomes tirados de uma revista. Nove meses se passam. Um menino nasce. E concluímos: Davi escapa de um tiro. Anjos jogam essa história na pasta etiquetada: "Meninos são assim". Deus faz vista grossa. Contudo, quando pensamos que é assim e Davi espera que seja... Alguém sai de trás da cortina e ocupa o centro do palco. "O que Davi fez desagradou ao SENHOR."

Deus não mais ficará em silêncio. O nome não mencionado até o último versículo do capítulo 11 domina o capítulo 12. Davi, "o que manda", fica sentado enquanto Deus assume o comando.

Deus envia Natã a Davi. Natã é um profeta, um pregador, uma espécie de capelão da Casa Branca. O homem merece uma medalha por ir até o rei. Ele sabe o que aconteceu com Urias. Davi matou um soldado inocente... O que fará com um pregador que chega para confrontá-lo?

Mesmo assim, Natã vai. Em vez de revelar o ato, ele conta a história de um homem pobre que tinha uma ovelha. Davi faz a ligação no mesmo instante. Ele apascentava rebanhos antes de liderar pessoas. Ele conhece a pobreza. Era o filho caçula de uma família tão pobre que não tinha como contratar um pastor. Natã conta para Davi como o pobre pastor amava sua ovelha — segurando-a em seu colo, alimentando-a do próprio prato. Ela era tudo o que ele tinha.

Enquanto a história segue, entra em cena o idiota rico. Um viajante passa em sua mansão, e ele prepara-lhe uma refeição. Em vez de matar uma ovelha de seu próprio rebanho, o rico manda seus seguranças roubarem o animal do pobre. Eles invadem sua propriedade, apanham a cordeira e fazem o churrasco.

Ao ouvir aquilo, os pêlos do pescoço de Davi arrepiam-se. Ele agarra os braços do trono. Dá um veredicto antes do julgamento: o peixe mordeu a isca ao anoitecer. "O homem que fez isso merece a morte! Deverá pagar quatro vezes o preço da cordeira, porquanto agiu sem misericórdia" (12:5,6).

Oh, Davi! Você nunca viu isso acontecer, não é? Você nunca viu Natã erguendo a forca e jogando a corda por cima da viga. Você nunca o viu amarrar suas mãos nas costas, fazê-lo subir a escada e vigiá-lo ao passar pelo alçapão. Só quando ele apertou o nó em torno do seu pescoço foi que você engoliu seco. Só quando Natã apertou a corda dizendo estas quatro palavras:

"Você é esse homem!" (12:7).

Davi fica pálido; o nó de sua garganta salta. Uma gota de suor forma-se em sua testa. Ele revolve-se em sua cadeira. Não tenta se defender.

Não dá uma resposta. Não diz nada. Deus, no entanto, está apenas coçando a garganta. Por meio de Natã, ele declara:

> Eu o ungi rei de Israel e o livrei das mãos de Saul. Dei-lhe a casa e as mulheres do seu senhor. Dei-lhe a nação de Israel e Judá. E, se tudo isso não fosse suficiente, eu lhe teria dado mais ainda. Por que você desprezou a palavra do SENHOR, fazendo o que ele reprova? Você matou Urias, o hitita, com a espada dos amonitas e ficou com a mulher dele (12:7-9).

As palavras de Deus refletem dor, não ódio; espanto, não desdém. Seu rebanho enche as colinas. Por que roubar? A beleza enche seu palácio. Por que tirá-la de outra pessoa? Por que o rico roubaria? Davi não tem desculpa.

Por isso Deus dá uma sentença.

> Por isso, a espada nunca se afastará de sua família, pois você me desprezou e tomou a mulher de Urias, o hitita, para ser sua mulher.
>
> Assim diz o SENHOR: "De sua própria família trarei desgraça entre você. Tomarei as suas mulheres diante dos seus próprios olhos e as darei a outro; e ele se deitará com elas em plena luz do dia. Você fez isso às escondidas, mas eu o farei diante de todo o Israel, em plena luz do dia" (12:10-12).

Desse dia em diante, confusão e tragédia marcam a família de Davi. Até a criança, fruto desse adultério, morrerá (12:18). Ela tem de morrer. As nações vizinhas agora questionam a santidade do Deus de Davi. Davi manchou a reputação de Deus, manchou a honra de Deus. E Deus, que zelosamente preserva sua glória, castiga o pecado público de Davi de uma forma pública. A criança perece. O rei de Israel descobre a dura verdade de Números 32:33: "... estejam certos de que vocês não escaparão do pecado cometido".

Você já descobriu essa verdade? Sua inflexível semana de março de 1987 o persegue? Contamina-o? Quedas gigantescas não nos deixarão em paz. Elas vêm à tona como um furúnculo sobre a pele.

Deus consegue se sentar, sem tomar nenhuma atitude, enquanto o pecado envenena o seu filho?

Meu irmão teve um, certa vez. Em seus tempos de ensino fundamental, ele teve um caso de furúnculo. Um pus terrível apareceu-lhe na nuca como um minúsculo vulcão em atividade. Minha mãe, enfermeira, sabia do que o furúnculo precisava — ser bem espremido. Dois dedos, todas as manhãs. Quanto mais ela apertava, mais ele gritava. Mas ela não parou até que o carnicão estourou.

Puxa, Max, obrigado pela bela cena!

Perdão por eu ser tão descritivo, mas preciso enfatizar esse ponto. Se você pensa que minha mãe era dura, experimente as mãos de Deus. Pecados não confessados se acomodam em nosso coração como furúnculos inflamados, envenenando, espalhando-se. E Deus, com dedos delicados, é quem aperta:

> O caminho do infiel é áspero (Provérbios 13:15).
>
> Quem cultiva o mal e semeia maldade, isso também colherá (Jó 4:8).

Deus tira seu sono, sua paz. Tira seu descanso. Quer saber por quê? Porque ele quer levar seu pecado. Uma mãe consegue ficar impassível enquanto substâncias venenosas invadem o corpo de seu filho? Deus consegue se sentar, sem tomar nenhuma atitude, enquanto o pecado envenena o seu? Ele não descansará até que façamos o que Davi fez: confessemos nossa falha. "Então Davi disse a Natã: 'Pequei contra o SENHOR!'. E Natã respondeu: 'O SENHOR perdoou o seu pecado. Você não morrerá'" (2 Samuel 12:13).

Deus não descansará até que façamos o que Davi fez: confessemos nossa falha.

Interessante. Davi sentenciou à morte o ladrão da ovelha imaginário. Deus é muito misericordioso. Ele pôs de lado o pecado de Davi. Em vez de encobri-lo, ele o revelou e o pôs de lado. "Como o Oriente está longe do Ocidente, assim ele afasta para longe de nós as nossas transgressões. Como um pai tem compaixão de seus filhos, assim o SENHOR tem compaixão dos que o temem" (Salmo 103:12,13).

Encontre seu erro antes do julgamento de Deus.
Deixe-o condená-lo, deixe-o perdoá-lo e abandone seu erro.

Davi levou um ano. Foi preciso uma gravidez inesperada, a morte de um soldado, a persuasão de um pregador, a sondagem e a pressão de Deus, mas o coração duro de Davi finalmente amoleceu e ele confessou: "Pequei contra o SENHOR!" (2 Samuel 12:13).

E Deus fez com o pecado de Davi o que ele faz com o seu e com o meu — deixou-o de lado.

É tempo de você pôr fim à sua "terceira semana de março de 1987". Faça uma reunião com três pessoas: você, Deus e sua memória. Coloque o erro diante do tribunal de Deus. Deixe que ele o condene, que ele o perdoe e que ele o ponha de lado.

Ele o fará. E você não precisa ter o nome do papa para que ele faça isso.

Capítulo 17

Questões de família

Davi parece ter mais do que seus sessenta e tantos anos. Seus ombros caem; sua cabeça pende. Ele arrasta os pés feito um velho. Luta para colocar um pé na frente do outro. Muitas vezes ele pára. Em parte porque a montanha é íngreme. Em parte porque ele precisa chorar.

Essa é a estrada mais longa que ele já tomou. Mais longa do que aquela que margeava o córrego que levava a Golias. Mais longa do que a estrada sinuosa do fugitivo que chegou a rei ou do que a estrada da culpa da convicção à confissão. Aquelas estradas têm algumas curvas sinuosas. Mas nenhuma se compara à subida do monte das Oliveiras.

> Davi, porém, continuou subindo o monte das Oliveiras, caminhando e chorando, com a cabeça coberta e os pés descalços. E todos os que iam com ele também tinham a cabeça coberta e subiam chorando (2 Samuel 15:30).

Observe com cuidado e você descobrirá a causa das lágrimas de Davi. Ele não usa a coroa. Absalão, seu filho, foi levado à força. Davi não tem um lar. Aqueles muros altos atrás dele pertencem à cidade de Jerusalém. Ele foge da capital que fundou.

Quem não choraria em um momento como esse? Sem trono. Sem lar. Com Jerusalém na retaguarda e o deserto à frente. O que aconteceu? Ele perdeu uma guerra? Israel foi destruída pela doença? A fome matou seus entes queridos e levou sua força? Como um rei acaba velho e solitário subindo uma estrada íngreme? Vamos ver se Davi conta. Veja como ele responde a duas perguntas simples.

Davi, como vão seus filhos?

Ele assusta-se com o assunto. Catorze anos se passaram desde que Davi seduziu Bate-Seba, 13 anos desde que Natã disse a Davi: "A espada nunca se afastará de sua família" (2 Samuel 12:10).

A profecia de Natã mostrou-se dolorosamente verdadeira. Um dos filhos de Davi, Amnom, cobiçou sua meia-irmã, Tamar, uma das filhas de outro casamento de Davi. Amnom consumiu-se pelo desejo, tramou um plano e a estuprou. Após o estupro, ele descartou Tamar como se ela fosse uma boneca estragada.

Tamar, compreensivelmente, ficou arrasada. Ela pôs cinzas na cabeça e rasgou a túnica colorida usada pelas filhas virgens do rei. "Muito triste, ficou na casa de seu irmão Absalão" (13:20). O versículo seguinte revela-nos a resposta de Davi: "Ao saber de tudo isso, o rei Davi ficou indignado".

Só isso? É tudo? Queremos um versículo maior. Queremos alguns verbos. *Confrontar* serve. *Castigar* seria bom. *Expulsar*, melhor ainda. Esperamos ler: "Davi ficou indignado e... *confrontou* Amnom ou *castigou* Amnom ou *expulsou* Amnom". Mas o que Davi fez com Amnom?

Nada. Nenhum sermão. Nenhum castigo. Nenhuma reclusão. Nenhuma repreensão. Nenhuma censura. Davi não fez nada com Amnom.

E, pior ainda, ele não fez nada por Tamar. Ela precisava de sua proteção, sua afirmação, sua aprovação. Ela precisava de um pai. O que teve foi um silêncio. Por isso Absalão, seu irmão, se pôs na brecha. Ele protegeu sua irmã e tramou um plano contra Amnom: deixá-lo bêbado e matá-lo.

Incesto. Engano. Uma filha estuprada. Um filho morto. Outro com sangue nas mãos. Um palácio em pé de guerra.

Mais uma vez era tempo de Davi dar um passo acima. Mostrar sua coragem que matou Golias, sua misericórdia que perdoou Saul, sua liderança junto ao ribeiro de Besor. A família de Davi precisava ver o que havia de melhor em Davi. Mas eles não viram nada em Davi. Ele não interveio nem respondeu. Ele chorou. Mas chorou sozinho.

Absalão interpretou o silêncio como raiva e fugiu de Jerusalém para se esconder na casa de seu avô. Davi não fez esforço algum para ver seu filho. Por três anos eles viveram em duas cidades separadas. Absalão voltou para Jerusalém, mas Davi ainda se recusava a vê-lo. Absalão casou-se e teve quatro filhos. "Absalão morou dois anos em Jerusalém sem ser recebido pelo rei" (14:28).

É possível que tal afastamento não tenha sido fácil. Jerusalém era uma cidade pequena. Para evitar Absalão era preciso tramar planos e espionar todos os dias. Mas Davi conseguiu ignorar o filho.

Mais precisamente, ele ignorou todos os filhos. Uma passagem de sua vida mais tarde mostra sua filosofia para educar seus filhos. Um deles, Adonias, encenou um golpe. Reuniu carruagens, cavaleiros e seguranças pessoais para assumir o trono. Davi se opôs? Você está brincando? Davi "nunca lhe perguntava: 'Por que você age assim?'" (1 Reis 1:6).

Davi, o Homer (personagem do famoso desenho animado Os Simpsons) dos pais da Bíblia. A imagem da passividade. Quando lhe perguntamos sobre seus filhos, ele apenas suspira. Quando lhe fazemos a segunda pergunta, seu rosto fica branco.

Davi, como está seu casamento?

Começamos a suspeitar de que há problemas no capítulo 3 de 2 Samuel. O que parece uma genealogia chata é, na verdade, um desfile de bandeiras vermelhas.

> Esses foram os filhos de Davi nascidos em Hebrom: o seu filho mais velho era Amnom, filho de Ainoã, de Jezreel; o segundo, Quileabe, de Abigail, viúva de Nabal, de Carmelo; o terceiro, Absalão, de Maaca, filho de Talmai, rei de Gesur; o quarto, Adonias, de Hagite; o quinto, Sefatias, de Abital; e o sexto, Itreão, de sua mulher Eglá. Esses foram os filhos de Davi que lhe nasceram em Hebrom (vs. 2-5).

Contei seis esposas. Acrescente Mical, sua primeira esposa, à lista e Bate-Seba, a mais famosa, e Davi tinha oito esposas — eram tantas que não dava para dar um dia da semana para cada. A situação piora quando descobrimos uma passagem escondida na Bíblia de família de Davi.

Depois de listar o nome dos filhos de Davi, o genealogista acrescenta: "Todos esses foram filhos de Davi, além dos que teve com suas concubinas" (1 Crônicas 3:9).

As concubinas? Davi gerou outros filhos por meio de outras mães, e nem sabemos quantos foram. Nosso lado cínico se pergunta se Davi sabia. O que ele estava pensando? Ele não ficou sabendo da instrução de Deus? "O homem deixará pai e mãe e se unirá à sua mulher" (Gênesis 2:24)? Um homem. Uma mulher. Um casamento. Soma simples. Davi optou pela trigonometria avançada.

Davi fez muita coisa também. Unificou as 12 tribos em uma nação. Idealizou conquistas militares. Fundou a cidade capital e exaltou Deus como o Senhor do povo, levando a arca para Jerusalém e abrindo o caminho para o templo. Escreveu textos poéticos que ainda lemos e salmos que ainda entoamos. Mas, em se tratando de família, Davi foi um desastre.

Ausentar-se de sua família sem ter permissão para isso foi o maior erro de Davi. Seduzir Bate-Seba foi um ato de paixão imperdoável, mas explicável. Assassinar Urias foi um ato cruel, mas previsível, de um coração desesperado. Mas educar os filhos de forma passiva e flertar normalmente? Esses não foram pecados decorrentes de uma tarde preguiçosa ou de reações irracionais de defesa pessoal. A confusão da família de Davi foi um estupor crônico que lhe custou caro.

Alguns anos atrás, um jovem marido veio me procurar, orgulhoso por ter uma esposa em casa e uma amante em um apartamento. Ele usava a infidelidade de Davi para justificar a sua. Até disse que estava cogitando a poligamia. Afinal, Davi foi um polígamo.

A resposta certa para tal burrice é: leia o restante da história.

Você se lembra de Absalão? Davi, por fim, reconciliou-se com ele, mas era tarde demais. As sementes de amargura haviam espalhado raízes profundas. Absalão resolveu arruinar o pai. Recrutou homens do exército de Davi e encenou um golpe.

Sua tomada de poder preparou o terreno para a triste saída de Davi de Jerusalém — para o monte das Oliveiras e para o deserto. Sem coroa. Sem cidade. Simplesmente um homem pesaroso, solitário e velho. "Davi, porém, continuou subindo o monte das Oliveiras, caminhando e chorando, com a cabeça coberta e os pés descalços" (2 Samuel 15:30).

Legalistas, no final, buscaram a queda de Absalão. Quando ele tenta escapar em um cavalo, seus cabelos longos se enroscam em uma árvore e os soldados lhe atravessam uma lança. Davi ouve a notícia e desaba: "Ah, meu filho Absalão! Meu filho, meu filho Absalão! Quem me dera ter morrido em seu lugar! Ah, Absalão, meu filho, meu filho!" (18:33).

Lágrimas tardias. Davi teve êxito em todos os lugares, menos em casa. E se você não se dá bem em casa, será que se dá bem de alguma maneira? Davi teria lucrado com o conselho do apóstolo Paulo: "Pais, não irritem seus filhos" (Efésios 6:4).

Como explicamos o lar desastroso de Davi? Como explicamos o silêncio de Davi em se tratando de sua família? Nenhum salmo escrito sobre seus filhos. Sem dúvida, de todas as suas esposas, uma merecia um soneto ou cântico. Mas ele nunca falou sobre elas.

Com exceção da oração que ele ofereceu pelo bebê de Bate-Seba, as Escrituras não dão indicação de que ele orou alguma vez por sua família. Ele orou acerca dos filisteus, intercedeu por seus guerreiros. Ofereceu orações por Jônatas, seu amigo, e por Saul, seu arquiinimigo. Mas, no que diz respeito à sua família, é como se seus membros nunca tivessem existido.

Davi estava ocupado demais para notá-los? Talvez. Ele tinha uma cidade para fundar e um reino para edificar.

Ele era importante demais para cuidar deles? "Que as mulheres eduquem os filhos; liderarei a nação."

Ele estava se sentindo culpado demais para apascentá-los? Afinal, como Davi, que havia seduzido Bate-Seba e embriagado e assassinado Urias, podia corrigir seus filhos quando eles estupraram e assassinaram?

Ocupado demais. Importante demais. Culpado demais. E agora? Tarde demais. Uma dúzia de saídas por demais demoradas. Mas não é tarde demais para você. Seu lar é um privilégio do tamanho de um gigante, sua principal prioridade. Não cometa o erro trágico de Davi. Como você responderia às perguntas que fizemos para ele?

Seu lar é um privilégio do tamanho de um gigante, sua principal prioridade.

Como está seu casamento?

Considere-o como um violoncelo da marca Testore. Esse instrumento raramente visto e primorosamente construído chegou à categoria de instrumento raro e está rapidamente ganhando o *status* de um instrumento que não tem preço. Poucos músicos têm o privilégio de tocar um Testore; um número ainda menor deles pode ter um.

Conheço um homem que tem um. Engolindo seco, ele o emprestou para mim para um sermão. Desejando ilustrar a frágil santidade do casamento, pedi a ele que colocasse o instrumento de quase três séculos no púlpito e expliquei seu valor para a igreja.

Como você acha que tratei a relíquia? Eu a girei, atirei para o alto e arranquei as cordas? De forma alguma. O violoncelo é valioso demais para meus dedos desajeitados. Além disso, seu dono o emprestou para mim. Não tive coragem de estragar seu tesouro.

No dia em que você se casou, Deus emprestou sua obra de arte: uma obra-prima feita com esmero e formada com precisão. Ele confiou-lhe uma criação única. Valorize-a. Honre-a. Tendo sido abençoado com um Testore, por que sair por aí tocando outra coisa?

Davi não entendeu isso. Colecionava esposas como quem coleciona troféus. Via as esposas como meios de obter prazer, não como parte do plano de Deus. Não cometa o erro dele.

Seja impetuosamente leal a um cônjuge. *Impetuosamente* leal. Sequer olhe duas vezes para outra pessoa. Sem flertes. Sem provocações. Sem perder tempo na mesa dela ou demorar-se no escritório dele. Quem se importa se você dá a impressão de ser rude ou puritano? Você fez uma promessa. Cumpra-a.

No dia em que você se casou, Deus emprestou sua obra de arte: uma obra-prima feita com esmero e formada com precisão.

E, ao cumpri-la, eduque os filhos que Deus lhe dá.

Como andam as coisas com seus filhos?

Heróis silenciosos ponteiam o panorama de nossa sociedade. Não usam faixas nem beijam troféus; usam babadouros e beijam feridas. Não estão nas manchetes, mas aparecem nos rodapés, nas linhas gerais e nas linhas laterais. Você não encontrará o nome deles na pequena lista do prêmio Nobel, mas nas listas de sala de aula, do "transporte solidário" e de professores da Bíblia.

São pais, tanto de sangue como de gestos, de nome e de datas especiais. Heróis. Programas jornalísticos não os chamam. Mas tudo bem. Porque seus filhos os chamam... Eles os chamam de mãe. Eles os chamam de pai. E essas mães e pais, mais valiosos que todos os executivos e legisladores do oeste do Mississipi, em silêncio, unem o mundo.

Esteja entre eles. Leia livros para seus filhos. Jogue bola se puder, e eles querem que você faça isso. Tenha por objetivo assistir a todos os jogos que eles jogarem, ler todas as histórias que escreverem, ouvir todos os recitais em que se apresentarem.

Filhos soletram amor com cinco letras: T-E-M-P-O. Não só tempo de qualidade, mas tempo à toa, tempo ocioso, qualquer tempo, todo o tempo. Seus filhos não são seu passatempo; são seu chamado.

Seu cônjuge não é seu troféu, mas seu tesouro.

Não pague o preço que Davi pagou. Podemos avançar alguns capítulos até chegarmos às últimas horas de Davi? Para ver o terrível preço de uma família negligenciada, veja como nosso herói morre.

Davi está a algumas horas da sepultura. Começa uma sensação de frio que os cobertores não podem tirar. Os servos concluem que ele precisa de uma pessoa para aquecê-lo, alguém para abraçá-lo firmemente enquanto ele dá seus últimos suspiros.

Filhos soletram amor com cinco letras: T-E-M-P-O.

Eles recorrem a uma das esposas de Davi? Não. Chamam um de seus filhos? Não. Eles procuram "em todo o território de Israel uma jovem que fosse bonita... a jovem, muito bonita, cuidava do rei e o servia, mas o rei não teve relações com ela" (1 Reis 1:3,4).

Acho que Davi teria trocado todas as suas coroas conquistadas pelos braços ternos de uma esposa. Mas era tarde demais. Ele morreu aos cuidados de uma estranha porque fez de sua família pessoas estranhas.

Mas não é tarde demais para você.

Faça de sua esposa o objeto de sua maior devoção. Faça de seu marido o recipiente de sua mais profunda paixão. Ame a pessoa que usa sua aliança.

E cuide das crianças que levam seu nome.

Seja bem-sucedido em casa primeiro.

Capítulo 18

Esperanças frustradas

"Eu tinha no coração o propósito..."

O Davi que profere essas palavras está velho. As mãos que balançaram a funda estão moles. Os pés que dançaram diante da arca agora se arrastam. Embora seus olhos ainda estejam nítidos, seus cabelos estão grisalhos e a pele perde a firmeza sob sua barba.

"Eu tinha no coração o propósito..."

Uma multidão ouve. Cortesãos, conselheiros, camareiros e servos. Eles se reuniram a pedido de Davi. O rei está cansado. O tempo de sua partida está próximo. Eles ouvem enquanto ele fala.

"Eu tinha no coração o propósito de construir..."

Modo estranho de começar um discurso de despedida. Davi não menciona o que fez, mas o que queria fazer, mas não pôde. "Eu tinha no coração o propósito de construir um templo para nele colocar a arca da aliança do SENHOR, o estrado dos pés de nosso Deus" (1 Crônicas 28:2).

Um templo. Davi queria construir um templo. O que havia feito por Israel, ele queria fazer pela arca — protegê-la. O que havia feito com Jerusalém, ele queria fazer com o templo — estabelecê-lo. E quem melhor do que ele para fazer isso? Não foi ele, literalmente, que escreveu o livro sobre adoração? Não foi ele que recuperou a arca da aliança? O templo teria sido seu canto do cisne, a obra assinada por ele. Davi esperara dedicar seus últimos anos à construção de um santuário para Deus.

Pelo menos, essa fora sua intenção. "Eu tinha no coração o propósito de construir um templo para nele colocar a arca da aliança do SENHOR, o estrado dos pés de nosso Deus; fiz planos para construí-lo" (28:2).

Planos. Arquitetos escolhidos. Construtores selecionados. Plantas e projetos, desenhos e números. As colunas do templo traçadas. Os degraus projetados.

"Eu tinha no coração o propósito... fiz planos..."

Intenções. Planos. Mas nenhum templo. Por quê? Davi ficou desanimado? Não. Ele continuava disposto. As pessoas resistiam? Dificilmente. Elas davam com generosidade. Os recursos eram escassos? Longe disso. Davi "providenciou... mais bronze do que se podia pesar... mais toras de cedro do que se podia contar" (1 Crônicas 22:3,4). Então o que aconteceu?

Apareceu uma conjunção.

As conjunções funcionam como as luzes de um farol em sentenças. Algumas, como um *e*, são verdes. Outras, como um *no entanto*, são amarelas. Algumas são vermelhas. Vermelhas ditatoriais. Elas o fazem parar. Davi recebeu uma luz vermelha.

> Fiz planos para construí-lo, *mas* Deus me disse: "Você não construirá um templo em honra ao meu nome, pois você é um guerreiro e matou muita gente... Seu filho Salomão é quem construirá o meu templo e os meus pátios" (1 Crônicas 28:2-3, 6, grifo meu).

O temperamento sanguinário de Davi custou-lhe o privilégio de construir o templo. Tudo o que ele podia dizer era...

Eu tinha no coração o propósito...

Fiz planos...

Mas Deus...

Estou pensando em algumas pessoas que disseram as mesmas palavras. Deus tinha planos diferentes dos delas.

Um homem esperou seus 35 anos para se casar. Decidido a escolher a esposa certa, ele, devotamente, não teve pressa. Quando a encontrou, eles mudaram-se para o oeste, compraram uma fazenda e começaram a vida juntos. Após três curtos anos, ela morreu em um acidente.

Eu tinha no coração o propósito...

Fiz planos...

Mas Deus...

Um jovem casal transformou uma sala em um quarto de bebê. Forraram as paredes com papel decorativo, reformaram o berço, mas, então, a esposa sofreu um aborto.

Eu tinha no coração o propósito...

Fiz planos...

Mas Deus...

Willem queria pregar. Aos 25 anos, ele já havia vivido o suficiente para saber que sua vida era para o ministério. Vendia obras de arte, ensinava línguas, negociava livros; conseguia ganhar a vida, mas não era uma vida. Sua vida era na igreja. Sua paixão estava voltada para as pessoas.

Assim sua paixão o levou para as áreas carboníferas do sul da Bélgica. Lá, na primavera de 1879, esse holandês começou a ministrar para os mineiros simples e trabalhadores de Borinage. Em questão de semanas, sua paixão foi testada. Um desastre na exploração das minas feriu inúmeros aldeãos. Willem trabalhou o dia todo cuidando dos feridos e alimentando os famintos. Ele até escavou as paredes das jazidas para ajudar seu povo.

Depois que o entulho foi limpo e os mortos enterrados, o jovem pregador ganhou um lugar no coração deles. A igrejinha encheu-se de pessoas famintas de suas simples mensagens de amor. O jovem Willem estava fazendo o que sempre sonhou.

Mas...

Certo dia, seu superior veio visitá-lo. O estilo de vida de Willem o deixou chocado. O jovem pregador usava um casaco de soldado velho. Suas calças eram feitas de tecido de saco, e ele vivia em uma cabana simples. Willem dava seu salário às pessoas. O oficial da igreja estava indiferente.

— Você parece mais patético que as pessoas a quem veio ensinar — ele disse.

O que você faz com os momentos da vida em que os "mas Deus" aparecem?

Willem perguntou se Jesus não teria feito o mesmo. O homem mais velho não concordava com nada. Essa não era a aparência adequada de um ministro. Ele afastou Willem do ministério.

O jovem ficou arrasado.

Ele só queria edificar uma igreja. Ele só queria fazer algo bom. Ele só queria honrar Deus. Por que Deus não o deixava fazer esse trabalho?

Eu tinha no coração o propósito...

Fiz planos...

Mas Deus...

Davi enfrentou o hipopótamo da frustração com o seu "no entanto, o Senhor". Davi confiou.

O que você faz com os momentos da vida em que os "mas Deus" aparecem?

O homem que perdeu a esposa não tem respondido bem. Enquanto escrevo este livro, ele guarda muita raiva e amargura. O jovem casal está enfrentando melhor a situação. Eles continuam ativos na igreja e oram por um filho. E Willem? Essa é outra história. Mas, antes de compartilhá-la, e Davi? Quando Deus mudou os planos de Davi, como ele respondeu? (Você gostará disso.)

Ele seguiu o "mas Deus" com um "no entanto, o Senhor".

> No entanto, o SENHOR, o Deus de Israel, escolheu-me dentre toda a minha família para ser rei em Israel, para sempre. Ele escolheu Judá como líder, e da tribo de Judá escolheu minha família, e entre os filhos de meu pai ele quis fazer-me rei de todo o Israel (1 Crônicas 28:4).

Reduza o parágrafo a uma frase e você terá: *Quem sou eu para reclamar?* Davi deixou de ser o tampinha para ser rei, de pastorear rebanhos para liderar exércitos, de dormir no pasto para viver no palácio. Ao ganhar um sorvete, você não reclama da cereja que está faltando.

Davi enfrentou o hipopótamo da frustração com o seu "no entanto, o Senhor". Davi confiou.

Willem fez o mesmo. Não no início, lembre-se. A princípio, ficou magoado e irado. Permaneceu na pequena vila durante semanas, sem saber o que fazer. Não sabia para onde se voltar. Mas então aconteceu a coisa mais estranha. Certa tarde, ele percebeu um velho mineiro curvado atrás de uma enorme carga de carvão. Surpreso com a dor e a pungência do momento, Willem colocou a mão no bolso à procura de um pedaço de papel e começou a esboçar a figura cansada. Sua primeira tentativa foi grosseira, mas depois ele tentou novamente. Ele não sabia, os aldeãos não sabiam, o mundo não sabia, mas Willem, naquele momento, descobriu seu verdadeiro chamado.

Não era o hábito do clero, mas a roupa de um artista.

Não era o púlpito de um pastor, mas a palheta de um pintor.

Não era o ministério de palavras, mas o de imagens. O jovem homem que o líder não aceitou tornou-se um artista a quem o mundo não pôde resistir: Vincent Willem van Gogh.[1]

Seu "mas Deus" tornou-se um "no entanto, o Senhor".

Quem dirá que com o seu não ocorrerá o mesmo?

Capítulo 19

Derrube o Golias!

Ele disputa a posição ao lado da cama, esperando ser a primeira voz que você ouve. Cobiça seus pensamentos quando você está acordado, aquelas primeiras emoções que nascem no travesseiro. Ele o desperta com palavras de preocupação, incita-o com pensamentos de tensão. Se você tiver medo do dia antes de começar seu dia, tenha certeza: seu gigante ficou ao lado de sua cama.

E ele está simplesmente se aquecendo. Ele sopra em seu pescoço enquanto você toma seu café da manhã, sussurra em seu ouvido enquanto você sai pela porta, sombreia seus passos e se agarra ao seu quadril. Ele checa sua agenda, lê suas correspondências e fala mais besteira do que jogadores em uma partida de futebol no centro decadente.

"Você não vai conseguir o que precisa."

"Você vem de uma longa linha de perdedores."

"Junte suas cartas e saia da mesa. Você não teve sorte."

Ele é seu gigante, seu Golias. Tendo uma colher de chá, ele transformará seu dia no vale de Elá dele, insultando, provocando, gabando-se e fazendo suas reivindicações ecoarem de um lado a outro da montanha. Você se lembra de como Golias se portou mal? "Durante 40 dias o filisteu aproximou-se, de manhã e de tarde, e tomou posição" (1 Samuel 17:16).

Os Golias ainda vagam por nosso mundo. Dívida. Desastre. Diálise. Perigo. Engano. Doença. Depressão. Grandes desafios ainda andam com ar arrogante e altivo, ainda roubam o sono, tiram a paz e fazem uma lipoaspiração na alegria. Mas eles não podem dominá-lo. Você sabe lidar com eles. Você se põe diante dos gigantes pondo-se, primeiro, diante de Deus.

Concentre-se nos gigantes — você tropeçará.
Concentre-se em Deus — seus gigantes cairão.

Você sabe o que Davi sabia e faz o que ele fez. Você escolhe cinco pedras e toma cinco decisões. Você já se perguntou por que Davi apanhou cinco pedras para a batalha? Por que não duas ou vinte? Reler sua história revela cinco respostas. Use seus cinco dedos para lembrar-se das cinco pedras de que você precisa para derrubar seu Golias. Deixe que seu polegar traga à sua memória...

1. A pedra do passado

Golias refrescou a memória de Davi. Ela era um *déjà vu*. Enquanto todos os outros tremiam, Davi se lembrava. Deus deu-lhe força para lutar contra um leão e atacar um urso. Não faria o mesmo com o gigante?

> Davi, entretanto, disse a Saul: "Teu servo toma conta das ovelhas de seu pai. Quando aparece um leão ou um urso e leva uma ovelha do rebanho, eu vou atrás dele, dou-lhe golpes e livro a ovelha de sua boca. Quando se vira contra mim, eu o pego pela juba e lhe dou golpes até matá-lo. Teu servo pôde matar um leão e um urso; esse filisteu incircunciso será como um deles, pois desafiou os exércitos do Deus vivo" (17:34-36).

Uma boa memória faz heróis. Uma péssima memória faz covardes. A amnésia fez de mim um frouxo na semana passada. Meu Golias acordou-me às 4 horas da madrugada com uma lamentável lista de preocupações.

Escreva as preocupações de hoje na areia.
Grave as vitórias de ontem na pedra.

Nossa igreja estava tentando levantar verba para um prédio para os jovens, mais dinheiro do que jamais havíamos arrecadado.

O gigante acordou-me para escarnecer de mim. *Caras, vocês são loucos. Vocês nunca vão juntar esse dinheiro.* Eu não podia argumentar. *A economia está quebrada. As pessoas estão estressadas. Talvez não levantemos o suficiente para comprar um tijolo.* Golias estava me colocando em uma situação difícil.

Mas então me lembrei de Davi, das 9 chances contra 2, da história do leão e do urso. Por isso decidi fazer o que Davi fez: cravar os olhos nas vitórias de Deus. Saí da cama, fui para a sala de estar, acendi a luz, peguei meu diário e comecei a fazer uma lista de conquistas do tamanho de leões e de ursos.

Nos cinco anos anteriores, Deus havia levado...

- um empresário a doar vários acres de terra para a igreja;
- outra igreja a comprar nosso antigo prédio;
- membros a ir além das necessidades em suas doações, permitindo à igreja saldar 80% de suas dívidas.

Deus fez isso antes, sussurrei. A cabeça de um leão está pendurada no saguão de entrada da igreja e um tapete de pele de urso estendido no chão do templo. Nesse momento ouvi uma batida. Bem ali na sala de estar! Virei-me a tempo de ver os olhos de Golias entortarem, os joelhos dobrarem-se e o corpo cair no tapete com a cara no chão. Levantei-me e coloquei um pé sobre as costas dele e ri: *Tome isso, meninão.*[1]

"Lembrem-se das maravilhas que ele fez" (1 Crônicas 16:12). Relacione os sucessos de Deus. Faça uma lista de seus registros mundiais. Ele não o fez andar sobre as muitas águas? Não se mostrou fiel? Você não conheceu a provisão de Deus? Quantas noites você foi para a cama com fome? Quantas manhãs você acordou no frio? Ele transformou seus inimigos em animais mortos ao longo de uma estrada. Escreva as preocupações de hoje na areia. Grave as vitórias de ontem na pedra. Apanhe a pedra do passado. Depois escolha...

2. A pedra da oração

Observe o vale entre seu polegar e o indicador. Para passar de um para o outro, você tem de atravessá-lo. Deixe que ele o faça se lembrar da queda de Davi. Antes de subir, Davi desceu; antes de subir para lutar, Davi desceu para se preparar. Não enfrente seu gigante sem, primeiro, fazer o mesmo. Dedique tempo à oração.

A paz é prometida àquele que fixa os pensamentos e os desejos no rei.

O apóstolo Paulo escreveu: "Orem no Espírito em todas as ocasiões, com toda oração e súplica; tendo isso em mente, estejam atentos e perseverem na oração" (Efésios 6:18).

A oração gerou os sucessos de Davi. Sua sabedoria junto ao ribeiro de Besor brotou do momento em que ele "[se fortaleceu] no SENHOR, o seu Deus" (1 Samuel 30:6). Quando os soldados de Saul tentaram capturá-lo, Davi voltou-se para Deus: "Tu és o meu alto refúgio, abrigo seguro nos tempos difíceis" (Salmo 59:16).

Como você sobrevive a uma vida de fugitivo nas cavernas? Davi sobreviveu com orações desse tipo: "Misericórdia, ó Deus; misericórdia, pois em ti a minha alma se refugia. Eu me refugiarei à sombra das tuas asas, até que passe o perigo. Clamo ao Deus Altíssimo, a Deus, que para comigo cumpre o seu propósito" (Salmo 57:1,2).

Quando Davi mergulhava sua mente em Deus, ele levantava-se. Quando não, ele caía. Você acha que ele passou muito tempo em oração na noite em que seduziu Bate-Seba? Que ele escreveu um salmo no dia em que assassinou Urias? Improvável.

Marque bem essa promessa: "Tu, SENHOR, guardarás em perfeita paz aquele cujo propósito está firme, porque em ti confia" (Isaías 26:3). Deus não promete apenas paz, mas perfeita paz. A paz não adulterada, não manchada, não impedida. Para quem? Para aqueles cuja mente está "concentrada" em Deus. Esqueça as espiadas ocasionais. Ponha de lado as reflexões feitas ao acaso. A paz é prometida àquele que fixa os pensamentos e os desejos no rei.

Peça a ajuda de Deus. Escolha a pedra da oração. E não negligencie...

3. A pedra da prioridade

Deixe que o seu dedo mais comprido o faça se lembrar de sua prioridade mais importante: a reputação de Deus. Davi, zelosamente, a preservou. Ninguém difamaria seu Senhor. Davi lutou para que "toda a terra [saiba] que há Deus em Israel. Todos os que estão aqui saberão que não é por espada ou por lança que o SENHOR concede vitória; pois a batalha é do SENHOR" (1 Samuel 17:46,47).

Veja sua luta como a tela de Deus. Nela, ele pintará sua supremacia multicolorida.

Davi via Golias como uma chance de Deus se mostrar! Davi sabia que ele sairia vivo da batalha? Não. Mas ele estava disposto a entregar a vida pela reputação de Deus.

O que aconteceria se você visse seu gigante da mesma forma? Em vez de invejá-lo, dê-lhe as boas-vindas. Seu câncer é a chance de Deus flexionar os músculos de cura dele. Seu pecado é a oportunidade de Deus mostrar graça. Seu casamento em conflito pode estampar o poder de Deus. Veja sua luta como a tela de Deus. Nela, ele pintará sua supremacia multicolorida. Anuncie o nome de Deus e depois estenda a mão para apanhar...

4. A pedra da paixão

> Quando o filisteu [Golias] começou a vir na direção de Davi, este correu para a linha de batalha para enfrentá-lo. Tirando

> uma pedra de seu alforje, arremessou-a com a atiradeira e atingiu o filisteu na testa, de tal modo que ela ficou encravada, e ele caiu, dando com o rosto no chão (17:48,49).

Davi correu, não para longe, mas em direção ao seu gigante. De um lado do campo da batalha, Saul e seu covarde exército engoliam seco. Do outro, Golias e seus rachadores de esqueletos zombavam.

Davi anestesiou o gigante porque provocou o Senhor.

No meio, o menino-pastor corria com suas pernas finas. Quem aposta em Davi? Quem aposta no menino de Belém? Não são os filisteus. Não são os hebreus. Não são os irmãos de Davi ou o rei de Davi. Mas Deus.

E, uma vez que Deus apostou, e uma vez que Davi soube disso, o tampinha magricela tornou-se um vulto movendo os joelhos para cima e para baixo e fazendo girar sua funda. Ele correu em direção ao seu gigante.

Faça o mesmo! O que pensar em seus problemas trouxe de bom para você? Você olhou por tanto tempo para Golias que pôde contar os pêlos no peito dele. Isso ajudou?

Não. Ouvir mágoas não irá curá-las. Detalhar problemas não irá resolvê-los. Classificar rejeições não irá removê-las. Davi anestesiou o gigante porque provocou o Senhor. Deixe o seu dedo anular lembrá-lo de apanhar a pedra da paixão.

Resta mais uma pedra e um dedo:

5. A pedra da persistência

Davi não pensou no que uma pedra faria. Ele sabia que Golias tinha quatro parentes hipopótamos. "Isbi-Benobe, descendente de Rafa... a ponta de bronze da lança de Isbi-Benobe pesava três quilos e 600 gramas" (2 Samuel 21:16). Safe fez a lista, descrita como "um dos descendentes de Rafa" (v. 18). Houve depois "[Elanã]... matou Golias, de Gate, que possuía uma lança cuja haste parecia uma lançadeira de tecelão" (v. 19). Esses três pareciam inofensivos comparados ao King Kong.

> [Em Gate,] havia um homem de grande estatura e que tinha seis dedos em cada mão e seis dedos em cada pé, vinte e quatro dedos ao todo. Ele também era descendente de Rafa...
> Esses quatro eram descendentes de Rafa, em Gate (vs. 20, 22).

Por que Davi procurou cinco pedras? Talvez porque Golias tivesse quatro parentes do tamanho de um tiranossauro?

Nunca desista.

Pelo que Davi sabia, eles vinham correndo pela montanha para defender o parente. Davi estava pronto para esvaziar a alcova se fosse preciso.

Imite-o. Nunca desista. Talvez uma oração seja suficiente. Talvez uma desculpa não resolva. Talvez um dia (ou mês) de decisões não seja suficiente. Talvez você seja derrubado uma ou duas vezes... mas não desista. Continue a carregar as pedras. Continue a balançar a funda.

Davi apanhou cinco pedras. Ele tomou cinco decisões. Faça o mesmo. Passado. Oração. Prioridade. Paixão. E persistência.

Da próxima vez em que Golias acordar você, pegue uma pedra. É provável que ele saia do quarto antes que você ponha a pedra na funda.

Epílogo

O que começou em Belém

A história de Davi começou em um pasto com ovelhas. Cabeças cobertas de lã testemunharam seus primeiros dias. Campos tranqüilos acolheram seus olhos de criança. Antes que as pessoas dessem atenção à sua mensagem, as ovelhas voltavam-se para seu grito. Faça uma fila com os bilhões de criaturas que ouviram a voz de Davi, e os comedores de pasto reivindicarão os primeiros lugares.

A história de Davi começou em um pasto.

Um pasto de Belém. Um pequeno vilarejo repousando nas suaves encostas. O lar dos pastores. A terra dos figos, das azeitonas e das vinhas. Não era exuberante, mas era suficiente. Não era conhecida pelo mundo, mas era conhecida por Deus, que, por suas razões, escolheu Belém como a incubadora deste filho escolhido.

Escolhido, de fato. Escolhido por Deus. Ungido do alto, separado pelo céu. O profeta declarou o chamado. A família ouviu. O rapaz das ovelhas seria um pastor de almas. O menino de Belém seria rei de Israel.

Mas não antes de se tornar o alvo do inferno.

A estrada fora de Belém era escarpada e perigosa. Levou-o a passar por um deserto cheio de lagartos, uma Jerusalém inflamada; conflito e perigo. Líderes resolveram matá-lo. Seu povo tentou apedrejá-lo. Sua própria família preferiu ridicularizá-lo.

Algumas pessoas o exaltaram como rei, outras o subjugaram. Os portões de Jerusalém viram-no entrar como um soberano e sair como um fugitivo. Ele, por fim, teve uma morte solitária na capital hebraica.

Mas ele está longe de estar morto.

Suas palavras ainda falam. Seu legado ainda vive. Quer o ame ou o odeie, a sociedade continua se voltando para ele, lendo seus pensamentos, refletindo sobre seus feitos, imaginando seu rosto. As Escrituras apresentam poucas frases sobre sua aparência, por isso escultores e artistas têm enchido galerias com suas especulações. Michelângelo. Rembrandt. Da Vinci. Telas. Pedras. Pinturas. Esculturas.

E livros. Livros! Mais páginas foram dedicadas ao prodígio de Belém do que a qualquer outra figura na história. Não podemos parar de falar sobre ele. A areia já preencheu suas pegadas na Judéia milhares de vezes durante milhares de anos — mas ainda nos reunimos para refletir sobre sua vida.

Você sabe quem estou descrevendo.

Sabe, não sabe? O pasto. A unção. O chamado na infância. Os inimigos de toda a vida. O deserto. Jerusalém. Judéia. A morte solitária. O legado interminável. Quem é este menino de Belém?

Davi, é claro.

Ou Jesus, talvez.

Ou... os dois?

Liste vários fatos e, em cada um deles, descreva características idênticas de Davi e de Jesus. Surpreendente. Ainda mais idêntico é o fato de que podemos fazer o mesmo com a sua vida. Leia essas verdades e me diga: Quem estou descrevendo? Jesus... ou você?

> Nasceu de uma mãe.
> Conheceu a dor física.
> Gosta de uma boa festa.
> Rejeitado por amigos.
> Acusado injustamente.
> Adora histórias.
> Paga impostos com relutância.
> Canta.
> Afasta-se da religião gananciosa.
> Sente muito pelos solitários.

Menosprezado pelos irmãos.
Defende os pobres-coitados.
Fica acordado à noite por conta de preocupações.
Conhecido por cochilar no meio de viagens.
Acusado de ser arruaceiro demais.
Tem medo da morte.

Você?

Jesus?

Os dois?

Parece que você, como Davi, tem muita coisa em comum com Jesus.

Grande coisa? Acho que sim. Jesus entende você. Entende o anonimato da cidadezinha e a pressão da cidade grande. Andou por pastos de ovelhas e palácios de reis. Enfrentou a fome, o sofrimento e a morte, e quer enfrentá-los com você.

Cristo fez-se um de nós para remir todos nós.

Não temos em Jesus um sumo sacerdote que não possa "compadecer-se das nossas fraquezas, mas sim alguém que, como nós, passou por todo tipo de tentação, porém sem pecado. Assim, aproximemo-nos do trono da graça com toda a confiança, a fim de recebermos misericórdia e encontrarmos graça que nos ajude no momento da necessidade" (Hebreus 4:15,16).

Ele fez-se um de nós. E fez isso para remir todos nós.

As histórias de Davi e de Jesus compartilham muitos nomes: Belém, Judéia, Jerusalém. O monte das Oliveiras. O Mar Morto. En-Gedi. Embora as histórias deles sejam semelhantes, não pense, nem por um instante, que eles são idênticos.

Jesus não caiu com Bate-Seba, não assassinou Urias ou encobriu o adultério. Jesus nunca saqueou uma vila, acampou com o inimigo ou negligenciou um filho. Ninguém acusou o filho mais justo de Belém de poligamia, crueldade ou adultério. Na verdade, ninguém conseguiu acusar Jesus de coisa alguma.

Eles tentaram. Meu Deus! Como tentaram. Contudo, quando seus acusadores o chamaram de filho de Satanás, Jesus pediu que provassem. "Qual de vocês pode me acusar de algum pecado? Se estou falando a verdade, por que vocês não crêem em mim?" (João 8:46). Ninguém pôde. Os discípulos viajaram com ele. Os inimigos sondaram-no. Os admiradores examinaram-no. Mas ninguém pôde comprovar um só pecado seu.

Ninguém o identificou no lugar errado, ouviu-o dizer as palavras erradas ou viu-o responder da maneira errada. Pedro, três anos na companhia de Jesus, disse: "Ele não comete pecado algum, e nenhum engano foi encontrado em sua boca" (1 Pedro 2:22). Pilatos foi o líder da versão romana da CIA, mas, quando tentou encontrar falta em Jesus, não conseguiu (João 18:38). Até os demônios chamavam Jesus de "o Santo de Deus" (Lucas 4:34).

Jesus nunca errou o alvo.

Igualmente surpreendente é o fato de que ele nunca se distancia daqueles que o fazem.

Leia o primeiro versículo do evangelho de Mateus. Jesus conheceu os caminhos de Davi. Testemunhou o adultério, assustou-se com os assassinatos e sofreu com a desonestidade. Mas as falhas de Davi não mudaram a relação de Jesus com ele. O primeiro versículo do primeiro capítulo do primeiro evangelho chama Cristo de "filho de Davi" (Mateus 1:1). O título não traz negações, explicações ou asteriscos. Acrescentei uma nota de rodapé: "Essa conexão, de forma alguma, oferece uma tácita aprovação do comportamento de Davi". Tais palavras não aparecem. Davi foi um desastre. Jesus sabia. Mas, mesmo assim, ele reivindicou Davi.

Ele fez por Davi o que meu pai fez por meu irmão e por mim.

De volta aos nossos dias na escola primária, meu irmão ganhou uma pistola de ar comprimido no Natal. No mesmo instante, montamos um estande de tiro ao alvo no quintal e passamos a tarde atirando contra ele. Cansando-se da facilidade com que acertava o círculo, meu irmão mandou-me buscar um espelho de mão. De costas para o alvo, pôs a arma sobre o ombro, localizou pelo espelho o pontinho preto no estande e fez a melhor imitação de um herói do faroeste. Mas errou o alvo. Também errou o depósito atrás do alvo e a cerca atrás do depósito. Não tínhamos a menor idéia de onde o chumbinho da pistola havia parado. No entanto, nosso vizinho do outro lado da viela soube. Ele logo apareceu na cerca do quintal dos fundos perguntando quem havia atirado com a pistola e quem iria pagar pela porta de correr de vidro.

Nesse momento, fingi não conhecer meu irmão. Mudei meu último nome e aleguei ser uma visita do Canadá que viera passar as férias ali. Meu pai foi mais nobre do que eu. Ouvindo o barulho, ele apareceu no quintal, acabando de acordar de sua soneca no dia de Natal, e conversou com o vizinho.

Entre suas palavras estavam as seguintes:

— Sim, são meus filhos.

— Sim, vou pagar pelos erros deles.

Cristo diz o mesmo a seu respeito. Ele sabe que você erra o alvo. Ele sabe que você não pode pagar por seus erros. Mas ele pode. "Deus o ofereceu como sacrifício para propiciação mediante a fé" (Romanos 3:25).

Uma vez que não pecou, ele pôde.

Uma vez que o ama, ele o fez. "Nisso consiste o amor: não em que nós tenhamos amado a Deus, mas em que ele nos amou e enviou seu Filho como propiciação pelos nossos pecados" (1 João 4:10).

Jesus chama-o de irmão; ele chama-a de irmã.
A pergunta é: você chama-o de Salvador?

Ele se fez um de nós para remir todos nós. "Tanto o que santifica quanto os que são santificados provêm de um só. Por isso Jesus não se envergonha de chamá-los irmãos" (Hebreus 2:11).

Ele não teve vergonha de Davi. Ele não tem vergonha de você. Ele chama-o de irmão; ele chama-a de irmã. A pergunta é: você chama-o de Salvador?

Reserve um momento para responder a essa pergunta. Talvez você nunca o tenha chamado. Talvez você nunca tenha sabido o quanto Cristo o ama. Agora você sabe. Jesus não renegou Davi. Ele não irá renegá-lo. Ele simplesmente espera seu convite. Uma palavra sua e Deus fará novamente o que fez com Davi e com milhões como ele: ele irá reivindicá-lo, salvá-lo e usá-lo. Qualquer palavra servirá, mas essas parecem apropriadas:

Jesus, confio minha vida a ti. Quero tornar-te meu Mestre, Salvador e Matador de gigantes. Confio meu coração a ti e entrego minha vida a ti. Amém.

Faça uma oração dizendo essas palavras com um coração sincero e tenha certeza disso: seu maior Golias caiu. Suas falhas foram lavadas e a morte anulada. O poder que transformou os gigantes de Davi em pigmeus fez o mesmo com você.

Você pode encarar os seus gigantes! Por quê? Porque você, antes, se deparou com Deus.

GUIA DE ESTUDOS

Escrito por Steve Halliday

1

Derrubando Golias

Fazendo o Reconhecimento

1. Você conhece Golias. Reconhece a sua forma de andar e estremece ao ouvi-lo falar. Você já esteve diante de seu Godzilla. A questão que se levanta é: ele é tudo o que você vê? Está familiarizado com a voz dele, mas ela é a única que você consegue ouvir?
   A. Quais são os Golias que você já enfrentou no passado?
   B. Como o seu Golias bloqueia a sua percepção de Deus e faz com que seja difícil você ouvir o Senhor?

2. Davi especializou-se em Deus. Note que ele vê o gigante. No entanto, vê ainda mais a Deus.
   A. O que você entende por se especializar em Deus?
   B. Como se especializar em Deus pode ajudá-lo a encolher os Golias de sua vida?

3. A vida de Davi tem pouco a oferecer a santarrões imaculados. Almas nota dez ficam desapontadas com sua história. Os demais a acham reconfortante. Estamos nos sobe-e-desce da mesma montanha-russa. Vivemos alternando entre mergulhos perfeitos e barrigadas, entre deliciosos suflês e pães dormidos.
   A. Em que áreas de sua vida você está mais para mergulhos perfeitos e deliciosos suflês? Em que áreas de sua vida você está mais para barrigadas e pães dormidos?
   B. Você acha a história de Davi reconfortante? Por que sim, ou por que não?

4. Os pensamentos de Davi acerca de Deus superavam os seus pensamentos acerca de Golias na proporção de nove para um. Como essa taxa se compara à sua? Você pondera sobre a graça de Deus quatro vezes mais do que pondera sua culpa? A sua lista de louvores e agradecimentos é quatro vezes maior do que a sua lista de reclamações? O seu arquivo mental de esperança é quatro vezes mais espesso do que o seu arquivo mental de apreensões? Você está quatro vezes mais propenso a descrever o poder de Deus do que as suas demandas diárias?
   A. Como você responderia a cada uma das perguntas de Max Lucado acima?
   B. Como você poderia começar a aumentar os seus pensamentos sobre Deus e a reduzir os seus pensamentos sobre Golias?

5. Quando se concentra nos gigantes, você tropeça. Quando se concentra em Deus, os seus gigantes tombam.
   A. Quando se concentra em seus gigantes, que tipo de tropeço você tende a cometer?
   B. Quando se concentra em Deus, que tipo de tombo os seus gigantes tendem a sofrer?

Ordens para Marchar

1. Leia 1 Samuel 17:1-54.
   A. Qual a diferença da perspectiva de Davi para a de seus conterrâneos?

B. Que razão Davi apresenta para a sua confiança em uma luta contra Golias (vv. 34-37)?
C. O que os versículos 45-47 revelam sobre o homem segundo o coração de Deus?

2. Leia Isaías 51:12-15.
A. Por que o Senhor nos diz para não temermos meros mortais?
B. O que acontece quando nos esquecemos de nosso Criador?
C. Que planos Deus tem para nós?

3. Leia Hebreus 12:1-3.
A. Em sua própria experiência, a vida de quais pessoas estimulam a sua fé? Por quê?
B. Por que devemos fixar nossos olhos em Jesus? Como ele é descrito?
C. Qual é o resultado por fixarmos os olhos nele desta forma?

Frente de Batalha

Qual é o maior problema que você está enfrentando neste exato instante? Que Golias está encarando você face a face, debochando de você e desafiando a Deus para que o socorra? Separe uma hora para se concentrar em Deus — em seu poder, em sua sabedoria e em sua glória — e na qual você possa concentrar suas orações por ajuda quanto a esse problema. Observe Deus mudando rapidamente o rumo dessa batalha!

2

Telefones Mudos

Fazendo o Reconhecimento

1. Você conhece o sentimento. O telefone não tocou para você também...

Quando você se inscreveu para aquele emprego ou para o clube, fez o melhor que pôde ou procurou ajuda... mas o telefone nunca tocou. Você conhece bem a dor por não receber uma ligação. Todos conhecemos.

A. Descreva a última vez em que o telefone não tocou para você. O que aconteceu?

B. Por que é assim tão doloroso quando não recebemos uma ligação?

2. A palavra hebraica para "o filho caçula" é *haqqaton*. Ela refere-se a mais do que à idade; sugere classificação. O *haqqaton* era mais do que o irmão caçula; era o *irmãozinho* — o baixinho, o pequerrucho, o "bebê da mamãe".

A. De quais formas você já foi o *haqqaton* de algum grupo ou organização importante para você?

B. O que é mais difícil com relação a ser o "baixinho" da ninhada?

3. Ah, o Golias da exclusão. Você já se cansou dele? Então já é hora de deixar de encará-lo. Quem se importa com o que ele, ou eles, pensa? O que importa é o que o seu Criador pensa.

A. Por que é tão difícil deixar de encarar o Golias da exclusão?

B. O que você acha que o seu Criador pensa a seu respeito — agora mesmo, hoje, neste exato instante?

4. Deus viu o que ninguém mais viu: um coração que o buscava. Davi, com todas as suas fraquezas, buscava a Deus como uma cotovia busca o nascer do sol. Ele foi segundo o coração de Deus, porque viveu à procura do coração de Deus. No final, isso era tudo o que Deus desejava ou necessitava... desejos e necessidades.

A. O que você entende por buscar o coração de Deus?

B. Você possui um coração que vive em busca de Deus? Como um coração faminto por Deus dirige a sua vida?

5. A história do jovem Davi dá-nos esta garantia: o seu Pai conhece o seu coração, e, por causa disso, tem um lugar reservado somente para você.
   A. Você sente-se reconfortado ou alarmado com o fato de Deus conhecer o seu coração? Explique.
   B. Você crê que Deus tem um lugar reservado somente para você? Explique:

Ordens para Marchar

1. Leia 1 Samuel 15-16 e 1 Crônicas 10:13-14.
   A. Por que o Senhor rejeitou Saul como rei?
   B. Como o medo que Samuel tinha de Saul ameaçava a vontade de Deus?
   C. Qual foi o resultado da desobediência de Saul?

2. Leia 1 Samuel 13:14 e Atos 13:22.
   A. Segundo 1 Samuel 13:14, que traço ou característica Deus procurava na pessoa que iria liderar o seu povo?
   B. Segundo Atos 13:22, como essa característica seria demonstrada na vida de Davi?
   C. Essa característica é encontrada na sua vida? O seu comportamento confirma ou nega essa característica?

3. Leia 2 Crônicas 16:9a.
   A. Por quem os olhos do Senhor varrem continuamente o planeta?
   B. Por que o Senhor procura por tais pessoas?
   C. Como você pode cada vez mais se tornar esse tipo de pessoa?

Frente de Batalha

Uma das melhores maneiras de se tornar uma pessoa segundo o coração de Deus é passando o tempo com homens e mulheres segundo o coração de Deus. Identifique dois a três cristãos maduros que você acredita terem uma caminhada íntima com Cristo, e peça para entrevistá-los. Descubra o que os faz serem assim, como eles alimentam os seus relacionamentos com Deus, e o que fazem quando estão desanimados.

3

Sauls Furiosos

Fazendo o Reconhecimento

1. Que tipo de bicho-papão vagueia pelo seu mundo? Mães controladoras? Treinadores da escola de Stalin? A professora de matemática estilo pitbull? O líder ignorante que se auto-elegeu?
   A. Como você responderia às perguntas acima do autor?
   B. Quando os seus bichos-papões o confrontam, como você geralmente reage?

2. Como Deus reage nestes casos? Destruindo os arquiinimigos? Esse pode ser o nosso desejo. Ele é conhecido por ter eliminado alguns Herodes e faraós. Não posso responder como ele tratará os seus. Mas possso responder como ele tratará você. Ele enviará um Jônatas até você.
   A. Por que você acha que Deus reage de modo tão diferente aos inúmeros arquiinimigos que trazem tantos problemas para nossa vida?
   B. Quem é o Jônatas que Deus enviou até você? Descreva-o.

3. Você anseia por encontrar um verdadeiro amigo? Você já tem um. E porque o tem, você tem escolha. Pode se concentrar no seu Saul ou no seu Jônatas, ponderar na malícia do seu monstro ou na bondade do seu Cristo.
   A. Onde você tem a tendência de se concentrar quando sendo confrontado por um Saul ou por um monstro?
   B. Como você pode progredir na escolha por se concentrar na bondade do seu Cristo? Que passos práticos você poderia dar?

4. Permaneça muito tempo no fedor da sua mágoa, e você passará a ter o mesmo odor da toxina que despreza.

A. Das mágoas que já sofreu, qual delas possui o maior poder para mantê-lo aprisionado?
B. Por que guardar uma terrível mágoa faz com que tenha o mesmo odor da toxina que despreza?

5. Passeie livremente, dia após dia, pela galeria da bondade divina. Catalogue os atos de benevolência. Tudo, desde os pores-do-sol até a salvação — olhe para o que você já tem. O seu Saul tirou muito de você, entretanto Cristo lhe deu mais! Deixe Jesus ser o amigo de que necessita.
   A. Pegue uma caneta e uma folha de papel, e liste toda a bondade que Deus derramou sobre você durante esta semana.
   B. Em quais sentidos Cristo lhe deu mais do que Saul lhe tirou?

Ordens para Marchar

1. Leia 1 Samuel 18:6-29.
   A. O que deixou Saul zangado com Davi a princípio? Por que isso o deixou zangado?
   B. O que fez Saul temer Davi (v.12)?
   C. Que ações foram causadas pelos ciúmes de Saul?

2. Leia 2 Samuel 18:1-4; 20:1-42; 23:16.
   A. Como você descreveria a amizade de Davi e Jônatas?
   B. Quem arriscou mais, Davi ou Jônatas, por sua amizade?
   C. Qual é, provavelmente, o elemento mais importante em uma amizade profunda, conforme demonstrado em 1 Samuel 23:16? O que quer dizer "o ajudou a encontrar forças em Deus"?

3. Leia 2 Timóteo 4:16-18.
   A. Qual dos amigos de Paulo ficou com ele no fim de sua vida?
   B. Quem permaneceu com Paulo?
   C. Como a amizade dele deu a Paulo uma grande força e encorajamento?

Frente de Batalha

É nos dito que Jônatas "o ajudou (Davi) a encontrar forças em Deus". Uma das melhores formas de se crescer espiritualmente é ajudando outra pessoa a crescer na vida espiritual. Quem você conhece que pode estar precisando de algum tipo de encorajamento neste exato momento? Tome a iniciativa, e faça o que puder para "ajudar ________ a encontrar forças em Deus". Esteja certo de fazer isso de modo autêntico, genuíno e com sensibilidade.

4

Dias de Desespero

Fazendo o Reconhecimento

1. A fé que Davi possui está oscilante. Há pouco tempo, tudo o que o pastor necessitava era de sua funda. Agora, aquele que recusara a armadura e a espada de Saul solicita uma arma junto ao sacerdote. O que aconteceu ao nosso herói? Muito simples: Perdeu o seu foco de atenção em Deus.
   A. O que você acha que levou Davi a perder o seu foco de atenção em Deus?
   B. O que de um modo geral o leva a perder o seu foco de atenção em Deus?

2. Pão e espadas. Comida e equipamentos. A igreja existe para fornecer ambos.
   A. Como a sua igreja fornece "pão" (alimento) e "espadas" (equipamentos) àqueles que deles necessitam?
   B. Qual é a sua função nessa cadeia de suprimento?

3. Jesus chama a igreja a se inclinar em direção à compaixão.
   A. Por que a compaixão é tão importante para Jesus?
   B. Como você costuma demonstrar aos outros a compaixão de Jesus?

4. Ao fim do dia da consagração, a questão não é quantas leis foram quebradas, e sim quantos Davis foram alimentados e equipados. Aimeleque ensina a igreja a seguir o espírito da lei, mais do que a sua letra.
   A. Você considera mais fácil seguir o espírito da lei ou a letra? Explique.
   B. O que tende a ocorrer quando se segue o espírito da lei e não a sua letra?

5. Davi tropeça nesta história. Vidas em desespero sempre o fazem. Mas, ao menos, ele tropeça no lugar certo — dentro do santuário de Deus, onde Deus se encontra e trabalha os corações sem esperança.
   A. No ano passado, como foi que Deus cuidou do seu coração após você ter tropeçado?
   B. Quem em sua vida necessita ser trabalhado por Deus depois de um tropeção?

Ordens para Marchar

1. Leia 1 Samuel 21:1-9.
   A. Por que você acha que Davi mentiu ao sacerdote?
   B. Por que Davi queria a espada de Golias?
   C. Apanhar uma espada necessariamente significa falta de fé? Explique.

2. Leia Romanos 8:38-39.
   A. Que confiança Paulo expressa nessa passagem?
   B. Como essa confiança pode ajudar alguém a enfrentar as dificuldades da vida?
   C. Você possui essa confiança? Explique:

3. Leia João 20:19-22.
   A. Como Jesus responde ao temor dos discípulos?
   B. Qual a missão que Jesus deu aos discípulos?
   C. Que poder Jesus concedeu aos discípulos para desempenharem a sua missão?

FRENTE DE BATALHA

Como membro da Igreja de Cristo, é um privilégio que você possui — o de prover alimento e equipamento a outras pessoas. Quem em sua igreja poderia estar passando por algumas necessidades básicas? Vá ao encontro de algum necessitado nesta semana.

5

Estações Secas

FAZENDO O RECONHECIMENTO

1. O deserto começa com o rompimento de vínculos. E prossegue com os enganos.
   A. O que aconteceu à sua vida quando você rompeu com relacionamentos importantes?
   B. Por que os enganos seguem-se com tanta freqüência ao rompimento de vínculos pessoais? O que ocorre após o rompimento de vínculos e o surgimento dos enganos?

2. O seu Saul o tirou da posição que ocupava e das pessoas a quem amava? Em um esforço para ter os pés de volta no chão, você distorceu a verdade? Voce deturpou os fatos? Você está procurando se refugiar em Gate? Sob circunstâncias normais, você jamais iria lá. Entretanto, estas não são circunstâncias normais. Por isso, você se demora no lugar onde os gigantes crescem.
   A. Como você responderia às perguntas de Max Lucado acima?
   B. O que significa Gate para você? O que faria com que se demorasse lá?

3. Faça de Deus o seu refúgio. Não o seu emprego, o seu cônjuge, a sua reputação, ou a sua previdência privada. Faça de Deus o seu refúgio. Deixe que ele, e não Saul, o cerque. Permita que ele seja o teto que o protege do sol, as paredes que seguram os ventos, a fundação sobre a qual você pisa.

A. Como você faz de Deus o seu refúgio?
B. O que precisa mudar em sua vida para que você faça de Deus o seu refúgio?

4. "Você nunca saberá que Jesus é tudo o que você precisa até que Jesus seja tudo o que você possua".
   A. Você concorda com a afirmação acima? Por quê?
   B. Já houve algum tempo em sua vida quando você não tinha mais nada a não ser Jesus? Se sim, descreva-o.

5. Você está no deserto? Arraste-se até Deus do mesmo modo que um fugitivo o faria até uma caverna. Ache refúgio na presença de Deus e consolo em seu povo. Essas são as chaves para a sobrevivência no deserto.
   A. Descreva um período em que você buscou refúgio na presença de Deus.
   B. Como o povo de Deus já lhe consolou? Como você, enquanto membro do povo de Deus, já ofereceu consolo a outros?

Ordens para Marchar

1. Leia 1 Samuel 21:10-22:2.
   A. O que deixou Davi com medo?
   B. Como Davi agiu devido a seu medo?
   C. Suas ações o ajudaram ou o magoaram? Explique.

2. Leia o Salmo 57:1-3.
   A. Onde Davi busca ajuda contra os seus inimigos?
   B. O que significa "refúgio" para Davi nesse Salmo?
   C. Que tipo de resposta Davi espera receber de Deus? Por que ele espera essa resposta?

3. Leia 1 Coríntios 1:26-31.
   A. Como Paulo caracteriza os membros da igreja? Por que isso é importante?
   B. Por que Deus escolhe esses? O que ele espera realizar?

C. De acordo com essa passagem, qual deveria ser a perspectiva de um crente em Cristo?

Frente de Batalha

Aqueles que mais necessitam de consolo muitas vezes não se arriscam pedindo por isso. Erga a sua antena bem alto, e procure à sua volta por alguém que pareça desconectado e solitário. Convide essa pessoa para almoçar ou para dar um passeio com você. Não vá com uma conversa preestabelecida, apenas "esteja lá" para ele ou para ela — e peça a Deus que use os seus esforços em ajudar aquela pessoa a encontrar refúgio nele.

6

Doadores de Sofrimento

Fazendo o Reconhecimento

1. Pense sobre os que abastecem a sua vida com sofrimento. Uma coisa é agraciar os amigos, mas você consegue agraciar aqueles que lhe causam aflição?
   A. Quem abastece a sua vida de sofrimentos? O que você precisaria para transmitir-lhes graça? O que, na sua opinião, isso se pareceria?
   B. Como você pode evitar a tendência humana natural de afligir aqueles que o afligem? Como você poderia tornar um hábito transmitir graça a essas pessoas, em vez de lhes causar aflição?

2. A vingança faz com que a sua atenção fique presa aos momentos mais pavorosos da vida. Ir à desforra congela a sua perspectiva nos eventos mais cruéis do passado. É para lá que você quer ficar olhando? Ficar remoendo os sentimentos e revivendo as mágoas faz de você uma pessoa melhor? De jeito nenhum. Isso só irá destruí-lo.

A. Pense a respeito de alguém que conheça, que você descreveria como uma pessoa vingativa, que está sempre indo à desforra. Você a considera uma pessoa feliz? Explique.
B. Por que a vingança e uma vida de desforras destrói aquele que abraça esse tipo de comportamento?

3. Os seus inimigos ainda figuram nos planos de Deus. O fato de estarem vivos é uma prova disso. Deus ainda não desistiu deles. Eles podem estar fora da vontade de Deus, mas não fora de seu alcance. Você estará honrando a Deus quando os vir não como seus fracassos, e sim como parte de seu projeto.
   A. Como poderá servir de ajuda pensar em seus inimigos como parte do projeto de Deus?
   B. Use a sua imaginação por alguns instantes: como Deus poderia usar os seus inimigos a fim de beneficiar você e trazer glória a ele?

4. Perdoar não é justificar. E também não é fingir. Davi não encobriu o pecado de Saul nem o evitou. Ele dirigiu-se a ele de forma direta. Não fugiu do assunto, fugiu porém de Saul.
   A. Seria compatível perdoar alguém e ainda assim evitar de propósito essa pessoa? Explique.
   B. Se perdoar não é justificar nem fingir, o que é então? Com que se parece? A quem você necessita perdoar mais neste exato instante?

5. Ousaríamos pedir graça a Deus quando nos recusamos a dá-la? Este é um assunto tremendo nas Escrituras. Jesus foi duro com pecadores que se recusavam a perdoar outros pecadores.
   A. Aos olhos de Deus, o seu pecado é de alguma forma menos pecaminoso do pecado daquele que o magoou? Explique.
   B. Por que, na sua opinião, Jesus foi tão duro com os pecadores que se recusavam a perdoar a outros pecadores? O que Jesus diria pessoalmente a você sobre esse assunto?

ORDENS PARA MARCHAR

1. Leia 1 Samuel 24:26.
   A. Como os homens de Davi manipularam a profecia a fim de encorajá-lo a fazer o mal (24:4)?
   B. Por que Davi tinha Saul em tamanha estima (24:5-7)? A quem Davi estava realmente honrando por meio dessa atitude?
   C. Nas mãos de quem Davi colocou o destino dele e de Saul (26:10-11)?

2. Leia Romanos 12:14-21.
   A. Como os cristãos devem tratar os seus inimigos?
   B. Por que os cristãos são proibidos de se vingar (v.19)?
   C. Em vez de se vingar, qual é a estratégia que Deus dá a seus filhos (vv.20-21)?

3. Leia Colossenses 3:13.
   A. O que significa suportar uns aos outros?
   B. Por que os cristãos devem perdoar aqueles que os ferem?
   C. Por que o Senhor o perdoou? Que aspectos do perdão do Senhor você pode imitar?

FRENTE DE BATALHA

Existe alguém a quem você não conseguiu perdoar? Passe algum tempo em oração, determinado a perdoar essa pessoa. Se possível, tente uma reconciliação. Não permita que a amargura azede a sua alma.

7

Comportamento Bárbaro

FAZENDO O RECONHECIMENTO

1. A bondade deles demonstra ser contagiosa, e Gordon envolve-se profundamente. Ele começa a tratar os doentes e a dividir a

sua comida. Doa até mesmo os seus poucos pertences. Outros soldados seguem o seu exemplo. Com o tempo, o clima do campo de prisioneiros vai ficando mais brando e iluminado.

A. Descreva uma situação em que presenciou uma mudança no ambiente de um grupo ou organização pela boa influência de uma pessoa.

B. Que ambiente específico você poderia alterar através de sua boa influência?

2. Os pronomes possessivos dominam a linguagem do seu círculo de relacionamentos? — *Minha* carreira profissional, *meus* sonhos, *minhas* coisas. Espero que as coisas funcionem a *meu* modo, de acordo com a *minha* agenda. Se é assim, você já está a par do quanto esse gigante pode ser feroz.

A. Pense a respeito do dia que passou. Quanto de seu tempo foi gasto pensando sobre si mesmo?

B. Qual é o grande problema com relação a se manter uma visão centrada em si mesmo, a ponto de excluir tudo o mais?

3. A doçura de Abigail reverteu um mar de ira. A humildade possui este poder. Um pedido de desculpa pode desarmar qualquer discussão. Um espírito contrito pode desfazer qualquer fúria. Ramos de oliveira fazem um bem muito maior do que quaisquer armas de guerra jamais poderiam.

A. Descreva a pessoa mais amável que você já conheceu. Que tipo de influência essa pessoa exercia sobre outras?

B. É difícil para você exercitar a humildade? Por quê?

4. Abigail colocou-se entre Davi e Nabal. Jesus colocou-se entre Deus e nós. Abigail foi voluntária para ser punida pelos pecados de Nabal. Jesus permitiu aos céus o punirem pelos seus e os meus pecados. Abigail desviou a ira de Davi. Cristo não fez o mesmo por você com relação à ira de Deus?

A. O que você acha que levou Abigail a agir daquela forma?

B. Cristo protegeu-o da ira de Deus? Explique.

5. Um só homem pode transformar um campo de prisioneiros. Uma só Abigail pode salvar uma família. Seja a bela em meio às suas feras e veja o que acontece.
   A. Como você poderia ser a bela que traz paz em meio a uma situação de tensão e de brigas?
   B. O que você gostaria de realizar com isso?

Ordens para Marchar

1. Leia 1 Samuel 25.
   A. Como o servo de Abigail descreve o tratamento que ele e seus amigos receberam de Davi e de seus homens (vv.14-16)?
   B. Que mentira Davi inventou para si mesmo enquanto se preparava para se vingar de Nabal (vv.21-22)?
   C. Quem impediu Davi de cometer a sua vingança, de acordo com Abigail (v.26)? Por que isso é importante?

2. Leia Provérbios 15:1.
   A. Qual parte desse versículo Nabal colocou em prática?
   B. Qual parte desse versículo Abigail colocou em prática?
   C. Qual parte desse versículo você em geral coloca em prática?

3. Leia Filipenses 4:5.
   A. Quais características esse versículo estimula os cristãos a praticar?
   B. Que conceito está ligado de forma implícita a esse mandamento? De que modo você acha que esse conceito está implícito?
   C. O que, em sua opinião, significa ser amável?

Frente de Batalha

Pense em alguém a que tenha ferido, ofendido ou com quem tenha se indisposto. Peça a Deus que lhe conceda graça e a humildade para abordar essa pessoa e lhe pedir perdão. Pode ser difícil, mas ore para que o Senhor traga paz e cura à situação.

8

Revólveres Superdestrutivos

Fazendo o Reconhecimento

1. Sem esperança e, acima de tudo, sem Deus. Davi concentrou sua atenção em Saul. Ele dependura o retrato de Saul na parede e toca novamente suas mensagens de voz. Davi mergulha em seu medo até que seu medo assuma o controle: "Serei destruído".
   A. Por que "sem esperança" e "sem Deus" andam freqüentemente juntos?
   B. O que, na maioria das vezes, o faz pensar: "serei destruído"?

2. Ocultar-se junto ao inimigo pode trazer alívio temporário. Não acontece sempre? Pare de resistir ao álcool e começará a rir — por um instante. Abandone o seu cônjuge e irá relaxar — por um certo período. Entregue-se à pornografia e achará diversão — por algum tempo. Mas então as garras da tentação começam a penetrar. Ondas de sentimento de culpa começam a invadir. O sentimento de solidão causado por uma atitude dissoluta surge repentinamente.
   A. De que forma você algumas vezes procura abrigo junto ao inimigo? O que espera obter com isso?
   B. No fim das contas, por que se abrigar junto ao inimigo acaba não funcionando?

3. Pare de ficar conversando consigo mesmo. Fale com Cristo, que convida: "Venham a mim, todos os que estão cansados e sobrecarregados, e eu lhes darei descanso." (Mateus 11:28)
   A. Que tipo de mensagem toca em sua mente de forma repetida? Que tipo de coisas improdutivas você fica falando para si mesmo?
   B. Você já experimentou o descanso de Jesus? Se já, descreva a sua experiência. Se ainda não, o que o impede de buscar o seu descanso?

4. Seja rápido para orar, para buscar aconselhamento saudável, e não desista.
   A. Qual é a relação entre a oração regular e a capacidade de perseverar?
   B. A quem você pode ir para obter conselho saudável?

5. Não se deixe iludir pelos revólveres superdestrutivos. A chegada pode estar a apenas algumas braçadas de distância. Deus pode estar, neste instante, erguendo sua mão e sinalizando para que Gabriel toque a trombeta. Anjos podem estar se reunindo, santos se congregando, demônios tremendo. Permaneça onde está! Permaneça na água! Permaneça na disputa. Permaneça na luta. Transmita graça mais uma vez. Seja generoso mais uma vez. Dê mais uma aula, encoraje mais uma vida, nade mais uma braçada.
   A. Que boa ação ou atividade você se sente mais tentado a abandonar neste instante?
   B. Descreva uma situação em que alguém que conheça completou algo com firmeza apesar dos obstáculos. Como isso impactou você?

Ordens para Marchar

1. Leia 1 Samuel 27.
   A. De que modo toda a estratégia de Davi para escapar de Saul foi baseada em uma mentira (v.1)?
   B. Como toda a estratégia de Davi para permanecer na Filistía dependia de um conjunto de mentiras (vv.8-11)?
   C. Por que mentiras nunca são uma boa base para se construir um futuro sólido?

2. Leia Provérbios 14:12.
   A. Como a parada de Davi na Filistía ilustra a verdade deste verso?
   B. Se os caminhos de Deus são sempre melhores do que os nossos, então por que escolhemos com tanta freqüência nossos próprios caminhos?

C. Como você pode se assegurar de que a sua vida não seja uma ilustração da verdade contida nesse verso?

3. Leia Mateus 11:28.
   A. Qual é a promessa descrita neste versículo?
   B. A quem essa promessa é endereçada?
   C. O que se deve fazer para se apropriar da promessa dada nesse versículo?

Frente de Batalha

Descreva o "destaque positivo" da semana. De modo consciente, faça comentários positivos àqueles com quem entrar em contato, especialmente àqueles que não devem estar esperando por isso: um ajudante de supermercado, um vizinho, o carteiro, um garçom. No fim da semana repare o que aconteceu — tanto a você quanto a eles.

9

A Última Gota

Fazendo o Reconhecimento

1. Os sistemas de apoio nem sempre funcionam. Os amigos nem sempre são amigáveis. Os pastores podem se desviar e as igrejas podem perder os seus vínculos. Quando ninguém pode ajudar, temos que fazer o que Davi faz aqui. Ele volta-se para Deus.
   A. Descreva um período em que algum dos seus sistemas de apoio falhou com você. Como você reagiu? Para onde se voltou?
   B. Em que área de sua vida você mais precisa se voltar para Deus?

2. O que fazemos com o pessoal do ribeiro de Besor? Damos uma severa repreensão em todos? Fazemos com que sejam humilhados? Damos-lhes um descanso com os minutos contados? Ou fazemos o que Davi fez? Davi deixou-os ficar.

A. A sua tendência seria a de fazer o quê com pessoas como as do ribeiro de Besor?
B. Quando foi a última vez em que você teve uma atitude como as do pessoal do ribeiro de Besor? Algum Davi o deixou ficar? Explique.

3. Davi realizou muitos feitos grandiosos ao longo de sua vida. Também cometeu muitas tolices. No entanto, talvez seu feito mais nobre tenha sido este, tão raramente comentado: o de honrar os soldados cansados no ribeiro de Besor.
   A. Por que Max Lucado disse que o feito mais nobre de Davi foi o de ter honrado os seus soldados cansados junto ao ribeiro de Besor? Você concorda? Explique.
   B. Quem são os soldados cansados em sua vida, que você poderia honrar como Davi o fez? De que maneiras específicas você poderia honrá-los?

4. É bom descansar. Jesus é o seu Davi. Ele luta quando você não consegue. Vai aonde você não pode ir. Não se zanga se você se sentar.
   A. Você já sentiu alguma vez que Jesus se zangou por você ter se sentado? Explique.
   B. De que forma Jesus lutou por você quando você não podia mais? Descreva algumas situações específicas.

ORDENS PARA MARCHAR

1. Leia 1 Samuel 30:1-25.
   A. Como Davi conseguiu passar por essa terrível provação (v.6)?
   B. Como Deus demonstrou sua graça a Davi, apesar das desventuras de Davi em território filisteu (vv.18-19)?
   C. A quem Davi creditou sua vitória (v.23)? Como isso ajuda a explicar a sua ordem com respeito aos despojos?

2. Leia Marcos 6:31.
   A. Como você descreveria o nível de atividade dos discípulos nessa cena?

B. Qual foi a prescrição de Jesus para o cansaço de seus discípulos?
C. Como a prescrição de Jesus se relaciona com a sua situação?

3. Leia Filemom 1:20.
A. Qual foi o pedido de Paulo aqui?
B. Como Paulo esperava se beneficiar caso seu pedido fosse atendido?
C. Que corações você pode reanimar "em Cristo" hoje? Como pode fazer isso?

Frente de Batalha

É realmente bom parar por algum tempo e descansar um pouco. Portanto, dê um tempo! Vá a algum lugar em que se sinta renovado e em que possa relaxar, e simplesmente fique por lá. Visite algum jardim, passeie em algum parque, dê uma volta por aí — seja o que for que ajude você a recarregar as baterias. Desligue o seu celular, deixe o trabalho por um tempo e descanse um pouco. Deus se agradará disso.

10

Sofrimento Inexprimível

Fazendo o Reconhecimento

1. A morte desperta tamanho sofrimento e levanta tantas questões sem respostas que somos tentados a dar meia volta e a ir embora. A mudar de assunto, a evitar o tema. A trabalhar sem parar. A permanecer sempre ocupados. A ficarmos distantes. A nos dirigir para um lugar isolado sem jamais olhar para trás.
A. Como você costuma reagir à morte, especialmente a morte de alguém a quem ama?
B. Por que tantos dentre nós evitam pensar sobre o sofrimento? A que isso leva em geral?

2. Exatamente quando você pensa que a fera do sofrimento se foi, ouve uma música de que ela gostava imensamente, ou sente o cheiro da colônia que ela usava, ou passa por um restaurante onde vocês dois costumavam comer juntos. O gigante continua dando as caras.
   A. Como o pesar voltou em sua vida sem aviso prévio?
   B. Quando o gigante da tristeza profunda está à espreita, como você tende a reagir? Como você lida com o sofrimento pessoal?

3. Compreenda a gravidade da sua perda. Você não perdeu apenas uma partida de Banco Imobiliário ou esqueceu onde colocou as chaves. Não pode prosseguir como se nada tivesse ocorrido. Em algum momento, daqui a alguns minutos ou mesmo meses, necessitará fazer o mesmo que Davi fez: enfrentar a sua dor.
   A. Pense a respeito da maior perda com que está lidando neste momento. Como você a descreveria?
   B. Que porção das Escrituras lhe trouxe algum consolo sob o peso do sofrimento?

4. Exploramos os temas mais profundos da vida na caverna do sofrimento. Por que estou aqui? Para onde estou indo? Os passeios em um cemitério evocam perguntas duras embora vitais.
   A. Com quais temas vitais a morte já o forçou a se debater?
   B. Com que perguntas específicas a morte já o deixou sem respostas? Por quais respostas você ainda procura?

5. Portanto, prossiga e enfrente o seu sofrimento. Dê tempo a si mesmo. Permita-se chorar. Deus compreende. Ele conhece o pesar causado pela morte, pois enterrou o próprio filho. No entanto, conhece também a alegria da ressurreição. E, por seu poder, você também irá conhecer.
   A. Você acha que existe um tempo limite geral para o sofrimento? Explique.
   B. Você aguarda com alegria pelo gozo da ressurreição? Por quê?

Ordens para Marchar

1. Leia 1 Samuel 31 a 2 Samuel 1.
   A. Por que, na sua opinião, Deus permitiu que Jônatas morresse juntamente com seu pai, Saul?
   B. Por que Davi tratou o jovem amalequita dessa história de forma tão dura?
   C. O que você aprendeu da amizade de Davi com Jônatas nessa passagem?

2. Leia Eclesiastes 7:3-4.
   A. O que Deus pensa de cristãos que ficam chorando os seus mortos?
   B. Como pode o pranto ser de algum modo melhor do que o riso?
   C. Que propósito piedoso existe no pranto?

3. Leia 1 Tessalonicenses 4:13-18.
   A. O versículo 13 diz aos cristãos ser inapropriado prantear a morte das pessoas amadas? Qual o conselho que dá aos cristãos?
   B. Qual a promessa que esse texto dá a todos os crentes em Cristo? Como essa promessa lhes dá esperança?
   C. Por que é importante dizer uns aos outros a verdade sobre o que acontecerá quando Jesus voltar (v.18)?

Frente de Batalha

Muitas pessoas em nossa cultura consideram muito difícil passar por aflições e angústias. Achamos que aflições e angústias deveriam ter um tempo preestabelecido para acabar e que devem ficar ocultos das demais pessoas. Para ter uma idéia melhor do que se constitui a aflição e a angústia saudáveis, considere a possibilidade de ler um livro como *Anatomia de uma dor: um luto em observação,* de C.S. Lewis, ou *Letters to a Grieving Heart* [Cartas a um Coração Enlutado], de Billy Sprague.

11

Cruzamentos Cegos

Fazendo o Reconhecimento

1. Uma das maiores perguntas da vida é *Como posso saber o que Deus quer que eu faça?*
   A. O que você acha que Deus o chamou a fazer e a ser? Qual, você acredita, é o supremo alvo para a sua vida?
   B. Se você não consegue identificar atualmente o propósito de Deus para a sua vida, como pode descobrir qual é, na realidade, a sua vontade para você?

2. Você tem uma Bíblia? Então, leia-a.
   A. Descreva o seu hábito atual de leitura da Bíblia.
   B. Você gostaria de ampliar a sua compreensão da Bíblia? Como você poderia fazer com que a sua leitura da Bíblia interagisse mais com o Espírito Santo de Deus?

3. Você tem uma família na fé? Consulte-a.
   A. Você está realmente vinculado a uma família na fé? Quem dentre eles poderia servir como um consultor eficaz para você?
   B. Com que freqüência você procura outra pessoa a fim de descobrir a vontade de Deus para a sua vida? Por que esta é uma prática sábia?

4. Você tem o coração voltado para Deus? Cuide dele.
   A. Na seguinte escala, onde se localiza o seu coração com respeito a Deus?
   Congelado — Frígido — Muito Frio — Frio — Tépido — Morno – Quente — Fervendo
   B. Como você poderia usar melhor o seu coração para Deus a fim de discernir a vontade de Deus?

5. As pessoas são conhecidas por justificar sua estupidez baseadas em "sentimentos". — "Senti Deus me conduzindo a trair a minha esposa... a não pagar as minhas contas... a mentir ao meu chefe... a flertar com o meu vizinho casado". Anote bem isto: Deus jamais irá conduzi-lo a violar a sua Palavra. Jamais irá contradizer o seu próprio ensinamento.
   A. Você conhece a Palavra de Deus bem o suficiente, a fim de evitar tomar decisões estúpidas baseadas em sentimentos? Explique.
   B. Descreva uma situação na qual a sabedoria da Bíblia evitou que você ou alguém que conheça tomasse uma decisão baseada em um sentimento.

Ordens para Marchar

1. Leia 2 Samuel 2:1-4.
   A. Quais orientações específicas Davi pediu nessa passagem? Que tipo de respostas ele obteve? O que isso lhe ensina, se ensina algo, sobre a oração?
   B. O que aconteceu quando Davi seguiu a orientação que Deus lhe deu? Você acha que isso teria acontecido caso ele não tivesse seguido a direção de Deus? Explique.
   C. Que ligação, se existe alguma, você vê entre essa passagem e o princípio estabelecido em Tiago 4:2?

2. Leia o Salmo 32:8 e Provérbios 3:5-6.
   A. O que Deus promete no Salmo 32:8? De quem é a maior responsabilidade por dar orientação?
   B. Qual é a responsabilidade do cristão em descobrir a vontade de Deus, segundo Provérbios 3:5? Com que isso se parece em termos práticos?
   C. Qual a promessa das Escrituras em Provérbios 3:6 quanto à descoberta da vontade de Deus para a vida de alguém? É apresentada alguma exceção?

3. Leia Filipenses 2:13; 4:6; e Efésios 2:10.
   A. Como Filipenses 2:13 se relaciona com a descoberta da vontade de Deus para a sua vida? Qual o estímulo que ele lhe dá?

B. Se você está ansioso sobre descobrir a vontade de Deus, o que Filipenses 4:6 o encoraja a fazer?
C. Que outro estímulo você encontra em Efésios 2:10 com respeito a descobrir (e a fazer) a vontade de Deus na sua vida? Deus está compromissado com este processo?

Frente de Batalha

Você tem sido eficaz em descobrir a vontade de Deus para a sua vida? A Bíblia de fato fala bastante a respeito de se descobrir e de se fazer a vontade de Deus. Consiga uma Concordância Bíblica e procure todas as referências que puder encontrar com relação à "vontade de Deus" ou à "vontade divina". O que descobriu?

12

Fortalezas

Fazendo o Reconhecimento

1. Em que parte de seu interior Satanás possui uma fortaleza?... — "Você ainda não tocou nesta falha" — desafia ele os céus, colocando-se exatamente entre a ajuda de Deus e o seu temperamento explosivo, a sua frágil auto-imagem, o seu apetite do tamanho de uma geladeira, o seu descaso com as autoridades.
   A. Como você responderia à pergunta do autor acima?
   B. O que já tentou fazer para se livrar desta fortaleza?

2. Você não gostaria imensamente se Deus escrevesse um *mas* em sua biografia? Nascida de pais alcoólicos, *mas* viveu de modo sóbrio. Abandonou a faculdade, *mas* foi um excelente comerciante. Não leu a Bíblia até a sua aposentadoria, *mas* desenvolveu uma fé profunda e sólida.
   A. Que *mas* você gostaria que Deus escrevesse em sua biografia?
   B. Que *contudo* Deus já escreveu em sua biografia?

3. Você e eu lutamos com palitos de dentes. Deus vem de aríetes e canhões. O que ele fez por Davi, pode fazer por nós.
   A. Que tipo de "palitos de dente" você tem usado para travar suas batalhas? Eles têm funcionado?
   B. Você já pediu a Deus que faça por você o que ele fez por Davi? Qual foi a sua resposta?

4. Dois tipos de pensamento disputam continuamente por sua atenção. Um diz: "Sim, você consegue". O outro diz: "Não, não consegue". Um diz: "Deus irá ajudá-lo". O outro mente: "Deus abandonou você". Um fala a linguagem celestial; o outro procura enganar no vernáculo dos jebuseus. Um proclama os poderes de Deus; o outro lista os seus fracassos. Um anseia por promover a sua edificação; o outro busca destruir você. E aqui vão as boas notícias: É você quem seleciona a voz a que dará ouvidos.
   A. Qual a voz que você ouve com maior freqüência — a que faz soar o poder de Deus ou a que fica relatando seguidamente os seus fracassos?
   B. Como você pode melhorar sua audição para ouvir mais a voz que o edifica, desconsiderando a voz que quer destruir você?

Ordens para Marchar

1. Leia 2 Samuel 5:6-10.
   A. Que tipo de oposição Davi enfrenta aqui? Como lidou com ela?
   B. Qual a razão dada para a proeza militar de Davi (v.10)?
   C. Qual a melhor maneira de você seguir o exemplo de Davi e ser bem sucedido contra os obstáculos?

2. Leia 2 Coríntios 10: 3-5.
   A. Que tipo de conflito é descrito nessa passagem? Você já viu uma batalha dessas?
   B. Quem ou o que é o inimigo de acordo com o versículo 4? Que tipo de arma deve ser usada nesse tipo de luta? De onde essas armas extraem seu poder?

C. Que trabalho duro é descrito no versículo 5? Você participa desse trabalho? Explique.

3. Leia Efésios 1:19-20.
   A. Quais os recursos que Deus lhe deu para que seja bem sucedido em sua vida cristã?
   B. Como você sabe se esses recursos são suficientes para sobrepujar toda a oposição que possa vir a enfrentar?
   C. Como pode o que aconteceu há tanto tempo ser uma fonte de força para você hoje?

Frente de Batalha

Uma batalha em andamento pode ser bem difícil de se enfrentar sozinho. Aproxime-se de um amigo de confiança, que seja maduro, e recrute a sua ajuda para atacar essa fortaleza. Faça disso uma questão de contínua oração, e peça a seu amigo ou amiga que faça o mesmo. Mantenha um diário para registrar o progresso que fizer durante o período em que estiver atacando essa fortaleza.

13

Deus Distante

Fazendo o Reconhecimento

1. Deus é uma divindade distante? As mães perguntam: "Como pode a presença de Deus vir sobre os meus filhos?" Os pais ponderam: "Como pode a presença de Deus preencher a minha casa?" As igrejas desejam a presença tocante, auxiliadora e que sara, de Deus em seu meio.
   A. Você acha que Deus é uma divindade distante? Explique.
   B. Como sua vida poderia mudar caso você tivesse certeza de que Deus não está distante, e sim bem presente em suas experiências diárias?

2. Deus vem, note bem, mas vem em seus próprios termos. Ele vem quando os mandamentos são acatados, os corações são purificados e os pecados são confessados.
   A. Você considera boas notícias que Deus vê, em seus próprios termos? Explique.
   B. Você diria que acata os mandamentos de Deus? Que o seu coração é puro? Você tem por hábito confessar os seus pecados?

3. As Escrituras não retratam Davi dançando em nenhuma outra ocasião. Ele não dançou por ocasião da morte de Golias. Nunca sambou entre os filisteus. Não inaugurou o seu reinado com uma valsa ou dedicou Jerusalém girando ao som de um baile. Quando Deus se manifestou, porém, ele não conseguiu permanecer sentado.
   A. Por que, em sua opinião, Davi dançou com tanta energia quando a Arca veio para Jerusalém?
   B. A presença de Deus é uma ocasião para dançar em sua vida? Explique.

4. Deus ama você demais para deixá-lo sozinho, portanto, não deixou. Não o deixou sozinho com os seus medos, com as suas preocupações, com a sua enfermidade, ou a sua morte. Por isso, pode começar a saltar de alegria.
   A. Como você se sente diante da promessa de Deus de nunca deixá-lo sozinho?
   B. Como a promessa de Deus de permanecer com você para sempre lhe dá forças para seguir em frente *hoje?*

5. O corpo sem vida de Uzá é um alerta contra a irreverência. Nenhum temor a Deus leva à morte de alguém. Deus não se deixará persuadir, receber ordens, ser invocado magicamente ou ser comandado a se manifestar. Ele é um Deus pessoal que ama e que sara, que ajuda e que intervém. Não responde diante de poções mágicas ou frases sábias. Ele procura por mais do que isso. Ele procura por reverência, por obediência e por corações famintos por ele.

A. Como você demonstra o seu temor a Deus?
B. Qual é a ligação entre reverência, obediência e um coração que tem fome de Deus? A que conduzem essas práticas no fim das contas?

Ordens para Marchar

1. Leia 2 Samuel 6.
   A. Compare os versos 1-7 com Números 4:15. O que deu errado com essa primeira tentativa de remover a Arca da Aliança? Como a tragédia poderia ter sido evitada?
   B. Como a Bíblia descreve a conduta de Davi nos versículos 14, 16 e 20? O que isso lhe diz sobre ele?
   C. Como Davi responde às críticas de sua mulher nos versículos 21-22? O que isso lhe diz sobre o caráter dele?

2. Leia Mateus 28:18-20.
   A. Como você pode ter a total confiança de que poderá realizar o que Jesus lhe deu para fazer (v.18)?
   B. Qual é a sua responsabilidade na tarefa que Jesus descreve nos versículos 19-20?
   C. Como o versículo 20 deixa claro que essa promessa e essa missão não valem somente para os discípulos do primeiro século?

3. Leia Hebreus 10:22.
   A. O que somos encorajados a fazer neste versículo?
   B. Como somos encorajados a fazer isso?
   C. Como somos capazes de realizar isso?

Frente de Batalha

Muitos dentre nós estamos tão acostumados aos confortos da vida moderna que não conseguimos apreciar a magnificência da criação de Deus. Para elevar a sua apreciação da majestade e da grandiosidade de Deus — e para adquirir uma maior reverência de seu poder — encontre um lugar longe das luzes da cidade, e passe algumas horas em campo aberto, acolhendo a majestade de um céu noturno. Conte as estrelas, se puder, e lembre-se de que Deus criou cada uma delas e as chama individualmente por seus nomes. Que Deus temível ele é!

14

Duras Promessas

Fazendo o Reconhecimento

1. Uma promessa acorreu a Davi. O rei é bondoso, não porque o rapaz merece, mas porque a promessa permanece.
   A. Quais promessas têm sido mais valiosas para você ao longo dos anos? Quem as fez? Como foram mantidas?
   B. Por que uma promessa permanente é tão reconfortante? Você diria que as suas próprias promessas são duradouras? Explique.

2. Deus faz e nunca quebra as suas promessas. A palavra hebraica para aliança, *beriyth,* significa "um acordo solene com força de obrigação". Sua aliança irrevogável corre como um fio escarlate atravessando a tapeçaria das Escrituras.
   A. Como Deus demonstrou o seu compromisso em guardar as suas promessas em sua vida?
   B. Como você se sente sabendo que as promessas de Deus fornecem os fundamentos para a sua salvação?

3. A sua vida eterna resulta da aliança, é assegurada pela aliança e é baseada na aliança. Você pode deixar Lo-Debar para trás por uma razão — Deus mantém as suas promessas. Não deveria o fato de Deus manter as suas promessas servir de inspiração para as suas?
   A. Como a sua vida seria diferente caso Deus *não* mantivesse as suas promessas?

B. Por que o fato de Deus guardar as suas promessas deveria inspirá-lo com o seu compromisso de guardar as suas? Inspira de fato? Explique.

4. Você está cansado. Está zangado. Está decepcionado. Este não é o casamento que esperava nem a vida que queria. No entanto, de seu passado ressurge uma promessa que você fez certo dia. Permita-me instar para que você faça tudo o que puder a fim de mantê-la? Para que dê à sua promessa mais uma oportunidade? Por que você haveria de fazê-lo? Para que possa compreender a profundidade do amor de Deus.
   A. Das promessas que fez, qual a que parece estar mais ameaçada neste instante?
   B. Como manter as suas promessas o ajudará a compreender melhor e a apreciar o amor de Deus por você?

5. Quando você ama o impossível de se amar, tem uma leve percepção do que Deus realizou por você. Quando mantém a luz do pórtico de entrada acesa para o filho pródigo, quando faz o que é certo ainda que tenham errado com você, quando ama o fraco e o doente, faz o que Deus faz a todo instante.
   A. Que pessoa(s) "não agradável(is)" Deus o chama a amar?
   B. Procure recordar a última semana. Como Deus continuou demonstrando o seu amor por você, apesar de atitudes não amorosas de sua parte?

Ordens para Marchar

1. Leia 2 Samuel 9.
   A. O que despertou Davi a perguntar sobre a família de Saul?
   B. A princípio, o que Mefibosete pensou sobre todo esse novo interesse real a seu respeito?
   C. Como as atitudes de Davi ajudaram Mefibosete a acalmar o seu coração (v.7)?

2. Leia 2 Coríntios 1:20.

A. Quantas promessas de Deus já ultrapassaram as suas datas de expiração?
B. Para quem as promessas de Deus são válidas?
C. Qual a melhor forma de honrarmos a Deus por guardar as suas promessas?

3. Leia 2 Pedro 1:3-4.
A. O que nos falta para nos tornarmos cristãos amadurecidos?
B. Que tipos de promessas nos foram feitas?
C. O que essas promessas nos capacitam a fazer?

Frente de Batalha

O livro de Gênesis contém muitas das mais importantes alianças da Bíblia. Separe algum tempo para estudar as seguintes alianças, mantendo em mente a sua relação com elas: Gênesis 6:18-22; 9:9-17; 15:18-19; 17:2-14; 19-21 (veja também Êxodo 2:24).

15

O Máximo em Arrogância

Fazendo o Reconhecimento

1. Davi sofre com problemas de altitude. Ficou tempo demais em uma posição elevada demais. O ar rarefeito mexe com os seus sentidos. Não consegue mais ouvir como costumava. Não consegue ouvir os alertas dos servos ou a voz de sua consciência. Nem consegue ouvir o seu Senhor. O pináculo ensurdeceu seus ouvidos e cegou seus olhos.
A. Em suas próprias palavras, como você descreveria esse tipo de problema com a altitude?
B. Quando você corre um risco maior de sofrer desse tipo de problema de altitude?

2. Como está a sua percepção auditiva? Você consegue ouvir os servos que Deus envia? Ouve a consciência que Deus estimula? E a sua visão? Ainda vê as pessoas? Ou vê apenas as suas funções? Vê pessoas que necessitam de você, ou as vê abaixo de você?
   A. Como você responderia a cada uma das perguntas de Max Lucado acima?
   B. Em que áreas de sua vida Deus pode estar tentando obter a sua atenção neste exato momento?

3. Davi jamais se recuperou totalmente de sua luta com esse gigante. Não cometa o mesmo erro. É muito mais sábio descer do que cair do alto da montanha.
   A. O que você acha que o autor quer dizer ao escrever: "É muito mais fácil descer do que cair do alto da montanha"?
   B. Que montanha você pode ter que descer de modo voluntário, ao menos por um certo tempo?

4. Busque a humildade (...). Abrace a sua pobreza (...). Resista à posição de celebridade.
   A. Como seria para você buscar a humildade?
   B. Que pobreza você possui que deveria abraçar?
   C. Qual a melhor maneira de você resistir à posição de celebridade?

Ordens para Marchar

1. Leia 2 Samuel 11:1-26.
   A. Como iniciaram os problemas de Davi neste capítulo?
   B. Como Urias — um hitita e não um hebreu — demonstrou ser muito mais honrado do que Davi (v.11)?
   C. Como esse incidente ilustra a verdade de Números 32:23?

2. Leia Provérbios 16:18.
   A. Como o orgulho destrói uma pessoa?
   B. Em que sentido Davi se mostrou orgulhoso no incidente com Bate-Seba?

C. Que tipo de destruição e queda Davi experimentou quando Deus revelou o seu pecado?

3. Leia 1 Pedro 5:6.
   A. Que mandamento é dado aos crentes neste versículo?
   B. Que promessa é dada àqueles que dão atenção ao mandamento?
   C. Quando Deus irá cumprir essa promessa?

Frente de Batalha

Vez após outra na Bíblia somos ordenados a nos humilhar. Em que área de sua vida você mais necessita se humilhar? Passe algum tempo pensando a respeito disso, e a seguir trace um plano específico de como pode realmente colocar em prática. Determine alguns passos práticos, concretos, que pode dar *esta semana* para que se humilhe nessa área. E então os execute.

16

Quedas Gigantescas

Fazendo o Reconhecimento

1. Davi seduz — nenhuma menção de Deus. Davi trama — nenhuma menção de Deus. Urias é enterrado, Bate-Seba casa-se — nenhuma menção de Deus. Não se fala com Deus e ele também não fala.
   A. Você crê que essa ausência de Deus é a causa ou a conseqüência do que aconteceu na vida de Davi? Explique.
   B. Por que você acha que Deus não fala a Davi durante toda a sua maldosa atividade? Por que ele permanece em silêncio?

2. As palavras de Deus refletem dor, não ódio; espanto, não desprezo. Os rebanhos que você tem enchem as colinas. Por que

roubar? Há beleza por todo o seu palácio. Por que tirar a que pertence a outro?

A. O que você acha que fez com que Deus sofresse mais a respeito do pecado de Davi?

B. O que você acha que faz com que Deus sofra mais a respeito do seu pecado?

3. As quedas gigantescas não nos deixarão em paz. Elas aparecem como uma queimadura na pele.

A. Por que as quedas gigantescas não nos deixam em paz? Isso é bom ou é ruim? Explique.

B. Você já sofreu uma queda gigantesca? Se já, que passos deu para se recuperar dessa queda?

4. Você acha que mamãe foi dura (...), experimente a mão de Deus. Pecados não confessados se depositam em nosso coração como furúnculos supurados, contaminando, expandindo-se. E Deus, com um polegar gracioso, pressiona a ferida.

A. Se Deus sabe todas as coisas, então por que algumas vezes é tão difícil confessarmos nossos pecados a ele?

B. Como pode a graça, algumas vezes, causar sofrimentos tão profundos? Como pode a dor ser de algum modo algo gracioso?

5. Deus fez com os pecados de Davi o que faz com os seus e os meus — ele livra-se deles. Já é hora de você descartar a sua "terceira semana de março de 1987". Agende uma reunião com três partes: você, Deus e a sua memória. Ponha o erro diante do juízo de Deus. Deixe que ele condene o seu erro, que o perdoe, e o descarte.

A. Como o ato de Deus de descartar um pecado difere de apenas se esquecer dele?

B. Você já pediu a Deus que descarte os seus pecados — todos eles? Explique.

Ordens para Marchar

1. Leia 2 Samuel 11:27 a 12:25.
   A. Nomeie todos os elementos do comportamento de Davi nessa passagem, que desagradou a Deus.
   B. Como a profecia de 12:10 alcançou o seu ápice na vida de Jesus Cristo?
   C. Qual foi a primeira coisa que Davi fez certa depois de tantos meses de franca rebelião (12:13)? Como Deus respondeu a ele?

2. Leia o Salmo 32:3-5.
   A. Como Davi se sentiu durante o tempo em que tentou encobrir o seu pecado?
   B. Como Deus lidou com Davi durante o período em que se recusou a admitir o seu pecado?
   C. Como Deus reagiu quando Davi finalmente confessou o seu pecado?

3. Leia o Salmo 103:11-13.
   A. Por quem o Senhor tem um grande amor, de acordo com o verso 11? O que significa temer a Deus?
   B. Coloque a questão apresentada no verso 12 em suas próprias palavras.
   C. Sobre quem o Senhor derrama grande compaixão, de acordo com o verso 13?

Frente de Batalha

Existe algum pecado em seu passado recente, que você ainda precisa nomear, confessar, e abandonar? Se existe, separe um tempo agora mesmo para se colocar perante o Senhor, e dê o nome ao seu pecado pelo que ele é de fato — rebelião espiritual, um tapa no rosto de Deus, uma mancha escura na pessoa santa que Deus planejou que você fosse. Agradeça a Deus por ter removido a sua culpa, para tão longe quanto o oriente dista do ocidente; e peça a ele por força, não somente a fim de evitar o mesmo pecado no futuro, mas para obedecer alegremente ao seu conselho e a sua Palavra.

17

Questões de Família

Fazendo o Reconhecimento

1. Viver ausente de sua família foi a maior falha de Davi. Sua passividade no exercício da paternidade e seus conhecidos flertes e casos levianos não foram pecados de uma tarde indolente, ou de reações ensandecidas de autodefesa. As confusões da família de Davi foram devidas ao estupor de uma vida inteira que lhe custou muito caro.
   A. Você concorda que o afastamento de sua família foi a maior falha de Davi? Por quê?
   B. O que, se é que existe, na maneira de Davi lidar com a sua família, tem em comum com a forma que você lida com a sua?

2. Davi foi bem sucedido em tudo, exceto em casa. E se você não é bem sucedido em casa, pode ser considerado bem sucedido de alguma maneira?
   A. Como você responderia à pergunta de Max Lucado acima?
   B. Como ser bem sucedido em casa honra a Deus?

3. No dia do seu casamento, Deus emprestou-lhe uma de suas obras de arte: uma obra-prima, complexa e habilmente trabalhada, moldada com toda a precisão. Ele confiou a você uma criação exclusiva, realmente única. Valorize-a. Honre-o.
   A. Se você é casado ou casada, descreva a obra de arte que Deus emprestou a você no dia de seu casamento.
   B. Como você pode valorizar a sua mulher de formas práticas e óbvias? Como você pode honrar o seu marido de maneiras concretas, satisfatórias?

4. Os pais e as mães, mais valiosos do que todos os executivos e parlamentares a oeste do Mississipi, mantêm calmamente o mundo estável.

A. Você concorda com o sentimento expresso acima? Por quê?
B. Descreva a influência que seu pai e sua mãe exerceram sobre você.

5. Desconfio que Davi teria trocado todas as suas conquistas pelos braços amorosos de uma esposa. Mas já era tarde demais. Ele morreu sob os cuidados de um estranho, porque fez de todos em sua família estranhos. Entretanto, ainda não é tarde para você.
A. Que áreas de sua casa você gostaria que melhorassem ao longo do próximo ano?
B. O que você pode fazer de modo específico, a fim de encorajar tais melhorias?

Ordens para Marchar

1. Leia 2 Samuel 13:21, 37-38; 14:28; 15:1-37; 1 Reis 1:6.
A. Que tipo de pai Davi parece ser, baseado nas informações destes versículos?
B. Como Davi falhou como marido?
C. O que Davi poderia ter feito de diferente, a fim de evitar os problemas familiares que teve que enfrentar?

2. Leia Provérbios 25:28; 29:11; e Atos 24:25.
A. Por que um homem que não tem domínio próprio é como uma cidade cujos muros foram derrubados?
B. Qual é o termo bíblico para alguém que se recusa a controlar o seu humor?
C. Você esperava que Paulo incluísse o domínio próprio como um tópico, juntamente com a justiça e o juízo vindouro? Explique.

3. Leia Efésios 6:4 e Tito 2:4-5.
A. Por que você acha que as instruções de Efésios 6:4 foram dadas aos pais (em oposição a mães)?
B. A quem é dada a responsabilidade de ensinar às jovens mães a construir um lar forte e piedoso (Tito 2:4)?
C. Qual é o raciocínio lógico por trás dessa instrução (Tito 2:5)?

Frente de Batalha

Você realmente quer saber se a vida de sua família é saudável? Então comece fazendo uma pesquisa de opinião entre os membros de sua família. Pergunte a todos individualmente como se sentem pela forma como os trata, a forma como os conduz, a forma como cuida deles. Leve estas conversas a sério, faça todas as correções que pareçam necessárias, apresente suas desculpas quando necessárias, e consagre-se a Deus para edificar a família do modo mais sólido possível.

18

Esperanças Frustradas

Fazendo o Reconhecimento

1. Planejei (...) Fiz os preparativos (...) *Mas* Deus (...)
   A. O que esta história, sobre Davi desejar construir o templo, diz àqueles que pensam serem os sonhos pessoais o caminho para o melhor de Deus?
   B. Que planos você já fez, e deu início aos preparativos, que Deus alterou de alguma forma?

2. O que você costuma fazer com os "mas Deus" de sua vida? Quando Deus interrompe os seus melhores planos, como você reage?
   A. Quais são as suas respostas às duas perguntas acima?
   B. Você vê os "mas Deus" em sua vida como sendo bons ou ruins? Explique.

3. Quando você ganha um delicioso sundae, não reclama por vir sem uma cereja no topo. Davi enfrenta o terrível monstro da decepção com um "no entanto, o Senhor". Davi confiou.
   A. Por que reclamamos tanto pela falta de uma cereja, quando Deus nos dá um delicioso sundae? Você já fez isso alguma vez? Se já fez, descreva o que aconteceu.

B. Você tem confiado em Deus nos momentos de decepção em sua vida?

4. O "mas Deus" de Davi virou um "no entanto, o Senhor". Quem sabe se com o seu não será assim também?
   A. Qual é a explicação para a transição entre "mas Deus" e "no entanto, o Senhor"? Qual a diferença entre os dois?
   B. Que "no entanto, o Senhor" você gostaria de ver transpondo um "mas Deus"? Descreva.

Ordens para Marchar

1. Leia 1 Crônicas 28:2-19.
   A. O que Davi desejava fazer? Era um bom desejo (veja 2 Crônicas 6:8)?
   B. Por que Deus não permitiu a Davi ver o seu desejo realizado?
   C. O que Deus deu a Davi em vez disso?

2. Leia Atos 16:6-10.
   A. Descreva os planos de viagem originais de Paulo. Era bom que ele tivesse um plano?
   B. Como foi que Deus alterou os planos do ministério de Paulo? Por que ele fez isso?
   C. O que aconteceu quando Paulo aceitou que Deus alterasse os seus planos?

3. Leia Jó 42:2; Provérbios 21:30; Jeremias 29:11.
   A. Por que podemos confiar nos planos de Deus para nós?
   B. Por que não precisamos temer que os planos de outras pessoas venham a arruinar o futuro que Deus planejou para nós?
   C. Que planos Deus tem para nós, de acordo com Jeremias 29:11?

Frente de Batalha

Muitas vezes fazemos nossos planos e pedimos que Deus os abençoe, em vez de pedirmos que Deus nos ajude a elaborar nossos planos de uma forma que agrade a ele. Você já submeteu os seus planos a Deus? Se ainda não, faça isso hoje mesmo. Ore algo assim: "Pai, não quero correr em minha própria direção. Quero estar onde você deseja que eu esteja, fazendo o que você quer que eu faça. Assim, perdoe-me por fazer os meus planos sem a sua participação, e ajude-me a voltar, a estar em harmonia contigo. Mostre-me os seus planos para a minha vida, e então me dê a coragem e a sabedoria para segui-los. E, Senhor, quando eu estiver em um "mas Deus", ajude-me a começar a procurar imediatamente pelo "no entanto, o Senhor". Em o Nome de Jesus, amém".

19

Derrube o Golias!

Fazendo o Reconhecimento

1. Use os seus cinco dedos para se lembrar das cinco pedras de que necessita para derrubar ao chão o seu Golias. Deixe o seu polegar lembrá-lo que (...)

1. A pedra do passado

Enumere as vitórias de Deus. Mantenha uma lista dos recordes mundiais do Senhor. Ele não o fez passar incólume por enchentes? Não deu provas de sua fidelidade? Você não conhece a sua providência? (...) Escreva as preocupações de hoje sobre a areia. Grave as vitórias de ontem em uma pedra.

A. No ano que passou, quais foram as vitórias que Deus lhe deu? Através de toda a sua vida cristã, que enchentes ou tempestades ele fez você atravessar são e salvo?

B. Pense sobre o mês passado. Quais as preocupações que enchiam a sua mente mas que nunca se materializaram?

2. A pedra da oração

Repare no vale existente entre o seu polegar e o indicador. Para passar de um para o outro você precisa atravessá-lo. Deixe que isso o lembre da queda de Davi. Antes de ascender, Davi desceu ao fundo. Antes de se erguer para lutar, Davi desceu para se preparar. Não enfrente o seu gigante antes de fazer o mesmo. Dedique tempo para a oração.

A. De que assuntos você em geral ora a respeito? O que você em geral se esquece de incluir na oração?
B. Qual é a melhor hora para você orar? Por quê?

3. A pedra da prioridade

Deixe que o seu maior dedo o lembre de sua mais alta prioridade: a reputação de Deus.

A. Se a reputação de Deus fosse baseada apenas no seu comportamento, que tipo de reputação ele teria?
B. Se você fosse viver toda a sua vida para a glória de Deus — incluindo a sua vida familiar, sua vida profissional, sua vida de lazer etc. — o que necessitaria mudar?

4. A pedra da paixão

Davi correu, não em fuga, mas em direção ao seu gigante (...). Faça o mesmo! Que bem lhe trouxe ficar remoendo os seus problemas? Você já ficou olhando por tanto tempo que já pode até dizer quantos pêlos Golias possui em seu tórax. Ajudou em alguma coisa? Não. Fazer uma lista dos ferimentos não irá sará-los. Enumerar os problemas não trará a solução desses problemas. Categorizar as rejeições não irá removê-las. Davi pôde fazer uma lobotomia no gigante porque colocou sua ênfase no Senhor.

A. Qual é a sua maior paixão? Você diria que é apaixonado por Deus? Explique.
B. Como você poderia aumentar a sua paixão por Deus? O que poderia fazer para mudá-lo para ser o centro de sua vida?

5. A pedra da persistência

Jamais desista. Talvez uma oração não seja o suficiente. Um só pedido de desculpas talvez não resolva. Um só dia ou um só mês de determinação pode não bastar. Pode ser que você seja derrubado uma ou duas vezes... mas nunca abandone a luta. Continue abastecendo-se de pedras, Continue girando sua funda.

A. Alguma vez uma desistência o deixou ferido no passado? Quais foram os ganhos por se comprometer em persistir até agora?

B. Qual é a pessoa mais persistente que você conhece? O que deu a ele ou a ela essa qualidade? O que você pode aprender dessa pessoa a fim de aumentar a sua própria persistência?

Ordens para Marchar

1. Leia 1 Crônicas 16:7-36.

A. Por que é tão importante falar sobre o que Deus realizou?

B. Por que é tão importante lembrar as alianças pactuadas por Deus?

C. Por que é tão importante adorar a Deus com um coração agradecido e pleno?

2. Leia Efésios 6:18-20.

A. O que significa "orar no Espírito"?

B. Por quem somos instruídos a orar? Com que freqüência?

C. Por que é tão importante ficarmos alertas em nossas orações?

3. Leia Colossenses 3:23-24.

A. Independente de quem seja o seu empregador, para quem você trabalha de fato? Por que é importante ter isso em mente?

B. Por que Deus considera ser tão importante que trabalhemos de todo o nosso coração?

C. Que recompensa é prometida àqueles que cumprem esse mandamento?

Frente de Batalha

Por toda a Bíblia, e ainda hoje, Deus procura por aqueles que se dedicam de todo o coração a tudo o que fazem, uma vez que o façam para a glória dele. Faça um auto-inventário. Em que área de sua vida você se dedica com sinceridade? Em quais áreas você não se dedica de todo o coração? Como você pode consagrar a vida por completo ao senhorio de Cristo e viver apaixonadamente em todas as áreas?

Epílogo: O que se Iniciou em Belém

Fazendo o Reconhecimento

1. Parece que você, assim como Davi, tem muito em comum com Jesus. "Grande Coisa!" Creio que sim. Jesus compreende você. Ele compreende o que é ser anônimo em uma cidadezinha e também a pressão da cidade grande. Freqüentou as pastagens de rebanhos de ovelhas e também os palácios dos reis. Enfrentou a fome, a tristeza e a morte, e deseja enfrentá-las junto com você.
   A. O que você acha que tem em comum com Jesus? Enumere vários itens.
   B. Como Jesus pode ajudá-lo a enfrentar a fome, a tristeza e a morte?

2. Jesus nunca errou o alvo. Igualmente surpreendente, ele nunca se afasta daqueles que erram.
   A. Por que é tão importante que Jesus nunca tenha errado o alvo?
   B. Como Jesus pode ser um exemplo para você no lidar com pessoas difíceis?

3. Jesus não se envergonhou de Davi. Ele não se envergonha de você. Ele o chama de irmão; ele a chama de irmã. A questão é: você o chama de Salvador?
   A. Por que Jesus não se envergonhou de Davi? Por que não se envergonha de você?
   B. Você chama Jesus de "meu Salvador"? Explique.

4. Uma só palavra sua e Deus fará novamente o que fez com Davi e com milhões de pessoas como ele: ele o reivindicará como pertencendo a ele, o salvará, e o usará.
   A. Que diferença faz para você que Deus o tenha declarado como sendo dele?
   B. Como você acha que Deus deseja usá-lo? De qual missão ele o incumbiu?

ORDENS PARA MARCHAR

1. Leia Hebreus 4:14-16.
   A. Por que ter Jesus como nosso grande sumo sacerdote deve nos capacitar melhor a que "apeguemo-nos com toda a firmeza à fé que professamos"?
   B. Por que Jesus é capaz de compreender as nossas fraquezas?
   C. Em que o nosso grande sumo sacerdote é diferente de nós?

2. Leia 1 João 4:9-11.
   A. Como Deus demonstrou o seu amor por nós? Qual foi o propósito de seu ato (v.9)?
   B. Por que Jesus veio ao mundo, de acordo com o versículo 10?
   C. Qual é a conclusão de João, baseado no que ele escreveu nos versículos 9 e 10?

3. Leia Hebreus 2:11-18.
   A. Segundo o versículo 11, de que Jesus chama aqueles que ele salva? Por que os chama assim?
   B. Qual foi o propósito de Jesus se tornar humano, de acordo com os versículos 14 e 15?
   C. Por que Jesus pode compreender plenamente todos os problemas e desafios que você enfrenta, segundo os versículos 17 e 18? Isso não faz dele o ajudante perfeito para você?

Frente de Batalha

Passe algum tempo agradecendo a Deus por reivindicar você para si mesmo, por salvar você, e por usá-lo. Peça a ele que o use a fim de trazer outras pessoas a ele, e depois procure por maneiras de abençoar a outros como Deus já o abençoou. Revise as cinco pedras com as quais foi equipado a fim de enfrentar os seus gigantes.

Notas

Capítulo 1

1. Paráfrase do autor.
2. Veja Êxodo 9:22,23; Josué 6:15-20; 1 Samuel 7:10.
3. Paráfrase do autor.
4. Ênfase minha nesta lista de versículos bíblicos.

Capítulo 4

1. PETERSON, Eugene H. *Transpondo muralhas*. Rio de Janeiro: Habacuc, 2005.

Capítulo 5

1. MARTIN, Malachi. *King of Kings*. New York: Simon and Schuster, 1980, 206.
2. "Reinstated," *Favorite Stories from Bob Russell,* vol. 5, CD-ROM (Louisville, KY: Living Word, Inc., 2005).

Capítulo 6

1. http://www.oklahomacitynationalmemorial.org/media
2. YOUNG, M. Norville com HOLLINGSWORTH, Mary. *Living Lights, Shining Stars: Ten Secrets to Becoming the Light of the World*. West Monroe, LA: Howard Publishing, 1997, 39.

Capítulo 7

1. GORDON, Ernest. *To End All Wars: A True Story About the Will to Survive and the Courage to Forgive*. Grand Rapids: Zondervan, 2002, 105–6, 101.

2. HERTZBERG, Hans Wilhelm. *I and II Samuel,* trad. J. S. Bowden. Philadelphia: Westminster Press, 1964, 199–200.
3. GORDON. *To End All Wars,* 101–2.

Capítulo 8

1. Associated Press, "450 Sheep Jump to their Deaths in Turkey", 8 de julho de 2005.
2. C. J. Mahaney. "Loving the Church", fita de aúdio da mensagem dada na Covenant Life Church, Gaithersburg, MD, s.d., citada em ALCORN, Randy. *Heaven*. Wheaton, IL: Tyndale House, 2004, xxii.

Capítulo 9

1. PETERSON. *Transpondo muralhas.*

Capítulo 10

1. LEWIS, C.S. *Anatomia de uma dor: o luto em observação.* São Paulo: Vida, 2006.
2. MEYER, F. B. *Abraham,* citado em SWINDOLL, Charles R. *The Tale of the Tardy Oxcart: And 1,501 Other Stories.* Nashville: Word Publishing, 1998, 254.
3. STEARNS, Ann Kaiser. *Living Through Personal Crisis.* New York: Ballantine Books, 1984, 6.
4. DAVIDSON, Thomas P. *I Called Him Roosk, He Called Me Dad: A Collection of Thoughts About a Father's Faith, Love, and Grief After Losing His Son* (impresso em particular), 36–37.

Capítulo 11

1. BUTTERICK, George Arthur, ed. *The Interpreter's Dictionary of the Bible: An Illustrated Encyclopedia.* Nashville: Abingdon, 1962, s.v. "Urim and Thummin" e TENNEY, Merrill C., ed. geral. *Pictorial Bible Dictionary*. Nashville: Southwestern Company, 1975, s.v. "Urim and Thummim."
2. MEYER, F. B. *David: Shepherd, Psalmist, King*. Fort Washington, PA: Christian Literature Crusade, 1977, 101–2.

Capítulo 13

1. Alguns estudiosos sugerem que se deve entender "filhos de Abinadabe", em 2 Samuel 6:3, no sentido mais amplo de "descendentes de Abinadabe" (Earl D. Radmacher, ed. geral. *Nelson's New Illustrated Bible Commentary* [Nashville: Thomas Nelson Inc., 1999]). Veja também 1 Samuel 7:1, passagem em que Eleazar é chamado de filho de Abinadabe.

Capítulo 14

1. LOWERY, Fred. *Covenant Marriage: Staying Together for Life.* West Monroe, LA: Howard Publishing, 2002, 44.
2. LOWERY. *Covenant Marriage,* 45.

Capítulo 16

1. *San Antonio Express News,* 23 de abril de 2005.

Capítulo 18

1. AURANDT, Paul. *Paul Harvey's the Rest of the Story,* ed. e comp. Lynne Harvey. New York: Bantam Books, 1978, 107–9.

Capítulo 19

1. A oferta superou nossas expectativas.

Este livro foi composto em fonte Bembo 11,5/14,5 e impresso pela Edigráfica sobre papel Avena 80g/m² para a Thomas Nelson Brasil em 2016.